青春文庫

9割が答えられない「モノの単位」がわかる本

話題の達人倶楽部［編］

JN044941

青春出版社

はじめに

メートル、ワット、ヘクタールと、世の中にはじつにさまざまな単位が存在します。そうした単位には、人類の知恵と歴史が詰まっているといっていいでしょう。振り返れば、古代人の誰かが、長さや容量の単位を考え出したところから、人類の文明は出発しました。もし単位が無ければ、農作物の収穫量を把握することはできませんし、物々交換の基準を定めることもできません。単位の発明は、人類の発展にとって重要なファクターだったといっていいでしょう。

そして、複雑化した現代社会には、無数といっていいほどの数の単位が存在します。誰もが知っている基本単位から、聞いてはいるが意味のよくわからない単位、文科系も最低限知っておきたい科学の単位、そして業界特有の単位まで――本書では、身近な単位をめぐるエピソードや裏話を紹介しました。

というわけで、人間の知恵と歴史が詰まった「単位の世界」をご堪能いただければ幸いに思います。

2024年7月

話題の達人倶楽部

9割が答えられない「モノの単位」がわかる本◎目次

1章

ここが一番おもしろい暮らしのなかの単位の話 13

2章 9割が答えられない「業界」の単位のフシギ　35

3章 単位がわかると、ニュースがわかる　65

4章 おさえておけば、いつか役立つ単位の教養 95

5章　文系でも知らないと恥ずかしいモノの単位

6章 正しいモノの数え方を知っていますか

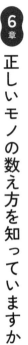

カバーイラスト▼AdobeStock
DTP▼フジマックオフィス

1章

ここが一番おもしろい
暮らしのなかの
単位の話

花の「開花度」はどう決めている？

毎年、春になると、サクラがどれくらい咲いているか、気になるものだ。あまりに早く花見に行くと、つぼみばかりで空振りに終わってしまう。一歩遅れると、今度は葉桜である。どうせならもっとも見頃の時期に花を愛でたい。そこで、花がどれだけ咲いているか、目安になる数字が「開花度」だ。

開花度の算出は、しごく単純である。開花した花の数を花芽の総数で割り、これを百分率で表せばよい。花芽の総数が1万あり、すでに開いた花の数が3000あれば、開花度は30パーセントとなる。

「花の開花度」は、近年いろいろな場面で使われているが、昔はもっと大ざっぱな単位で花の開き具合を表していた。「3分《ぶ》咲き」「7分咲き」といった「○分咲き」という表現だ。これは、いちいち花芽の総数と開いた数を調べたわけではない。目で見た感じで、どれくらい咲いているかを主観で表現したものだ。

それに比べて、花の「開花度」はより客観的である。きちんと数えるので、開花度35パーセントといった、こまかい数字が出てくることになる。

脳波を示す「δ」「θ」「α」「β」の違いは何？

生物の脳からは、脳波が出ている。脳波は、脳から自発的に生まれる電位変動であり、頭皮の上に測定装置を置けば、簡単に測定できる。

脳波は、周波数帯によって4つに分けられている。0・5～3ヘルツまでがδ（デルタ）波、4～7ヘルツがθ（シータ）波、8～13ヘルツまでがα（アルファ）波、14ヘルツを超えるとβ（ベータ）波となる。

多くの成人の場合、α波とβ波のどちらかが出ている。α波とβ波のどちらが出てくるかは、その人の置かれている環境や行動によって違ってくる。安静にしているときの脳波はα波となりやすく、忙しく仕事をしているときはβ波となる。外から強い刺激を受けるほどに、β波が強くなる傾向がある。

脳波の状態は、年齢によっても変わってくることがわかっている。赤ちゃんの場合、脳波らしいものは確認できず、4歳ころになると、θ波が後頭部に現れる。9歳ころには、10ヘルツ前後のα波が後頭部に現れ、成人すると、平均して10ヘルツ程度のα波が支配的になる。年齢を重ねると、今度は脳波の周波数が下がっていく。60歳を超えると9ヘルツに落ち、80歳を超えると8ヘルツまで落ちてくる。これには個人差があり、知的な能力を維持している高齢者なら、9〜10ヘルツ程度でとどまっている。

また、ある種の病気になると、特定の脳波が出てくることがわかっている。麻酔剤の投与によっても、脳波は変化し、まずはβ波が現れ、その後、脳波は平坦になることが多い。

水の「透明度」は、どうやって測る?

北海道の摩周湖《ましゅうこ》といえば、日本でもっとも透明度の高い湖。かつては、世界一透明度の高い湖として知られていたが、今は世界一の座をロシアのバイカル湖に譲り、世界2位の透明度となっている。

透明度は、人間の肉眼を頼りに測定されている。直径30センチの白色円盤におもりをつけて、水中に沈めていく。その白色円盤は、考案者の名から「セッキ円盤」とも呼ばれ、円盤が肉眼で完全に見えなくなった水深が、その湖の透明度となる。セッキ円盤には目盛りのついたロープがつけられていて、それを読むことによって、透明度がわかるという仕組みだ。

摩周湖の場合、1931年には41・6メートルの透明度があった。それが、2004年の調査では19メートルにまで下がり、2023年は18・13メートルと報告されている。

一般に、摩周湖をはじめ山地にある湖は、水温が低く、植物プランクトンが育ちにくいため、透明度が高い。ロシアのバイカル湖の透明度が高いのも、寒冷な気候の影響が大きいと考えられる。

逆に、平野部の湖は、温暖な気候にあることが多いため、植物プランクトンが育ちやすい。これが、平野部の湖の透明度を下げている一因といえる。

透明度はその計測方法からもわかるように、人間の肉眼による主観的なもので、湖の汚染度とはあまり関係がない。透明度が高くても、化学物質が多く溶け込んでいることだってあるのだ。逆に透明度が低くても、その一因が植物プランクトンの繁殖であるのなら、豊かな湖といえるのだ。

辛さの単位「スコヴィル値」って何？

唐辛子の辛さのもとは、カプサイシンという成分。そのカプサイシンがどれほど含まれているかの単位は「スコヴィル」で表され、ホットソースなどの辛さを表す単位として使われている。

この「スコヴィル値」を考えだしたのは、この単位名の由来にもなった米国のウィルバー・L・スコヴィルという研究者。今は機械で測定するが、かつては人の舌（味覚）によって測定されていた。唐辛子エキスに砂糖水を混ぜたものを、複数の被験者になめてもらい、辛味を感じなくなるまで希釈（薄めること）していく。その希釈倍数をスコヴィル値として表していたのだ。

そのスコヴィル値で辛さを比較すると、タバスコは辛みが弱く2500〜5000スコヴィル、ハラペーニョは中程度の辛さで2500〜8000スコヴィル、ひじょうに辛いといわれるハバネロ種は約30万スコヴィル。かつて世界一辛い唐辛子といわれた「トリニダード・スコーピオン・ブッチ・テイラー」という品種は、146万3700スコヴィルという、ハイスコアを叩き出している。

近年、唐辛子界隈では品種開発が盛ん。「キャロライナ・リーパー」という品種が164万スコヴィルでトップになったかと思えば、2023年10月には「ペッパーX」が260万スコヴィルで、ギネスの「最も辛い唐辛子」に認定されている。

「東京ドーム1杯分」って、どのくらいの量？

テレビや新聞報道などでは、大きな量を表すとき、よく「東京ドーム○杯分の量」という言い方をする。

「東京ドーム5杯分にあたるビールの消費量」「1日に出るゴミの量は東京ドーム1杯分に相当する」「省エネ努力により、東京ドーム3杯分の二酸化炭素の削減が可能」といった具合だ。

東京ドームができたのは1988年のこと。日本初のドーム型球場ということでマスコミでも大きく取り上げられた。

以後、そのものの体積や容積、面積が「こんなに大きい」と伝えたいとき、東京ドームをたとえとして用いるようになったのだ。

では、東京ドームの大きさはどれくらいかというと、建築面積が4万6755平方メートル、容積は約124万立方メートルだ。東京ドーム5杯分なら620万立方メートルとなり、たしかに「620万立方メートルのビール」というより、「東京ドーム5杯分のビール」のほうがイメージしやすくなるだろう。

ちなみに、東京ドームができる以前も、有名な建物がたとえとして用いられていた。よく使われたのは、東京の旧丸ビルや霞が関ビルで、容積は旧丸ビルが26万2000立方メートル、霞が関ビルは52万4000立方メートルだ。

また、地方のテレビや新聞の場合、東京ドーム以外を使うこともある。たとえば大阪なら「大阪ドーム何杯分」といった具合だ。大阪ドームの容積は120万立方メートルで東京ドームとほぼ同じだが、地元の人には「大阪ドーム何杯分」と表現したほうが、よりイメージしやすくなると考えてのことだ。

師団、連隊、班…軍隊はどんな〝単位〟で動いている？

戦記物を読んでいると、「師団」や「旅団」といった言葉がよく登場する。「2個師団を派遣する」「第4旅団が創設された」といった具合で、これらは軍の編成単位を表している。

どの国でも、陸軍はおおむね同じ編成単位から成り、大きなものから「師団」「旅団」「連隊」「大隊」「中隊」「小隊」「分隊」「班」となる。師団より上には国によって、「軍団」「軍」「軍集団」「総軍」などがある。また、旅団がない場合もあり、そのときは師団のすぐ下が連隊になる。

一方、小組織は、一番下の「班」がいくつか集まって「分隊」となり、その分隊がいくつか集まって「小隊」となる。小隊がいくつか集まったのが「中隊」だ。

それぞれの単位の兵員数も、だいたい決まっていて、班は4人から6人で、その上の分隊は8人から12人といったところだ。小隊は2つ以上の分隊から成り、兵員数は20人から60人。中隊はやはり2つ以上の小隊から成り、兵員数は60人から250人といったところ。

大隊は2から6程度の中隊から成り、兵員数は300人から1000人、連隊は1以上の大隊または複数の中隊から成り、兵員数は500人から5000人、旅団は2以上の連隊または大隊から成り、兵員数は2000人から5000人、師団は2から4までの旅団または連隊から成り、兵員数は1万人から2万人だ。

さらに上の軍団となると兵員数は3万人以上、軍は5、6万人以上で、軍集団や総軍は国によってまちまちだ。

一方、海軍や空軍の編成単位は、国によって大きく異なる。たとえば、アメリカの空軍の場合、上から「空軍（Air Force）」「総軍、軍（Major Command）」「通し番号付き空軍（Numbered Air Force）」「航空団（Group）」「飛行隊（Squadron）」「飛行中隊「（Flight）」「分隊（Section）」という単位が使われてきた。

「A判」と「B判」、紙の規格が2つあるのはなぜ？

日本の紙の規格には、「A判」と「B判」の2つがある。とくにA4サイズやB5、B4サイズはよく使う規格だが、なぜA判とB判の2つの系統があるのか不思議に思っている人もいるだろう。

じつは、「A判」は国際サイズであり、「B判」のほうは日本独自の規格。日本では、国際サイズと独自のサイズが併存しているのだ。

A判もB判も、サイズを決める方法は同じである。A判の場合、基準となるのはA0判で、面積1平方メートルとし、縦横の長さの比が1対$\sqrt{2}$になるよう決められている。長辺は1・189メートル、短辺は0・841メートルとなる。

このA0判の半分の面積で、縦横の長さの比率を同じく1対$\sqrt{2}$にしたサイズがA1判だ。A1判の半分の面積で、縦横の長さの比率を同じく1対$\sqrt{2}$にしたサイズはA2判となっていく。

Ｂ判のほうは、Ｂ０判の面積が１・５平方メートルで、Ａ判と同じように縦横の長さの比率を変えずに、面積を半分にしたのがＢ１判となる。

Ａ判はもともとはドイツの工業規格であり、これが国際規格となった。ただ、日本では江戸時代に公用紙の大きさが決められていて、「美濃判」と呼ばれていた。美濃判は将軍家と御三家のみに許された規格であり、これが明治になっても残った。そして「Ｂ判」と名を変えて、今も使われているのだ。

ただし、行政関係では、今はＢ判を使用していない。かつてはＢ判が多かったのだが、１９９３年、国際化のためにＡ判に統一されることになった。

視力検査の「1・0」という数字には、どんな意味がある？

眼科的には「2点を区別して認識できるその最小の大きさ」が視力判定の基準になる。２つの離れた点が１つの点にしか見えなくなるという限界を調べて、視力は測られる。

視力を測るために一般的に用いられているのが、例の「ランドルト環」である。ランドルト環とは、視力検査で「どこが欠けてますか」と尋ねられる「C」の形に似たマークのことだ。円の上下左右のどこか1点が欠けているので、その欠けた部分の先端が2つの点ということになる。離れている2つの点を認識できれば、そこが欠けていると指摘できるはずというわけだ。

「ランドルト環」という名は、視力の単位を生み出したフランスの眼科医ランドルトにちなんでいる。

具体的には、視力は以下のように測られている。基準となるのは、ランドルト環の直径が7・5ミリ、円環の太さが1・5ミリ、円環の欠けた部分の長さが1・5ミリの場合で、5メートル離れた位置から見たとき、欠けた部分を認識できれば、視力は1・0以上となる。

昔は、その欠けた部分を認識できなかった場合は、被験者が5メートルからさらに近づいて、ランドルト環を見た。そしてランドルト環の欠けた部分を認識できるようになったとき、ランドルト環までの距離から、その人の視力を判定した。

しかし、こうやって前へ後ろへと動くのは面倒。そこで、考えだされたのが、今の視力表である。

視力表には、大小のランドルト環が印刷され、同環は下から上へと順番に大きくなっていく。ランドルト環が大きくなれば、円環の欠けた部分も長くなる。

視力0・5に相当するランドルト環の場合、円環の欠けた部分の長さは3ミリと、視力1・0のランドルト環の2倍になっている。逆に、欠けた部分の長さが0・75ミリと、視力1・0の環の半分になっているランドルト環の欠けた部分を指摘できれば、視力は2・0ということになる。

どうして台風の強さを表す数字は半端なのか？

毎年8～9月頃、日本にやって来る台風。その強さは、中心付近の最大風速で表される。台風は、もともと熱帯低気圧（tropical depression）が発達したものであり、中心付近の最大風速が17・2メートル毎秒（m／s）以上になったものを「台風」と呼ぶ。

台風のなかでも、最大風速が32・7メートル毎秒以上43・7メートル毎秒未満になると「強い台風」と呼び、43・7メートル毎秒以上54・0メートル毎秒未満なら「非常に強い台風」、54・0メートル毎秒以上なら「猛烈な台風」となる。

というと、ここで疑問に思う人もいるだろう。風速を用いるのなら、「17メートル毎秒以上」「20メートル毎秒以上」などと、キリのいい数字を基準にしたほうが、よほどわかりやすい。それをあえて「17・2メートル毎秒」「32・7メートル毎秒」などと半端な数字にしているのは、なぜだろうか？

これは、もともとは台風の強さを「ノット（kt）」で表していたからだ。ノットは船舶の速度の単位であり、1ノットは1時間に1海里《かいり》（約1852メートル）進む速度だ。

かつては、航海と関わりの深い事柄には、ノットを用いることが多く、風速もノットで表した。風速34ノット以上のものを「台風」と呼び、それをメートル法に換算すると、約17・2メートル毎秒以上となるのだ。

また、台風に限らず、風速の程度を知るための目安となる「ビューフォート風力階級」というものがある。これも、風力1は0・3メートル毎秒以上1・6メートル毎秒未満、風力2は1・6メートル毎秒以上3・4メートル毎秒未満などと、半端な数字で刻まれている。

ビューフォート風力階級はイギリスの海軍提督が考案したもので、やはり当初はノットで示していたからだ。

「瓶ビールの大瓶633ミリリットル」に隠された謎とは？

缶ビールの容量が500ミリリットル、350ミリリットルなどと、キリのいい数字になるのに対し、瓶ビールは大瓶が633ミリリットル、中瓶が500ミリリットル、小瓶が334ミリリットルと、なんだか中途半端な数字だ。

これにはかつて日本の瓶ビールが尺貫法の「合《ごう》」を単位として売られていたことが関係している。

戦前の日本ではビールは大瓶と小瓶しかなく、大瓶は4合入り、小瓶は2合入りとして店頭に並んでいた。もっとも当時はかなりアバウトで、「4合」といいつつ、実際は4合に満たない場合がほとんどだった。

１９４０年に新しい酒税法を制定するにあたり、それまでビールの生産量と出荷数に応じて課していた税金を、ビールの出荷数に一本化することになった。だが、1本あたりの容量が会社によって違うのでは、不公平が生じる。そこで、１９４４年に全国の大瓶・小瓶の容量を統一することが定められた。

大瓶・小瓶の容量を決めるにあたり、各社の数値を調べたところ、大瓶ではもっとも多いものが３合5勺《しゃく》7才《さい》（約６４４ミリリットル）、もっとも少ないものが３合5勺1才（約６３３ミリリットル）だったという。

多いほうに合わせれば、ビール会社によっては今まで使っていた瓶に規定量が入らなくなる可能性がある。

少ないほうに合わせればその心配はないということで、少ないほう、つまり３合5勺1才に統一することにした。小瓶も同じ理由で、1合8勺5才に統一したといわれている。

なお、中瓶が５００ミリリットルとキリがいいのは、のちに発売されたからで、缶ビールも同じ理由だ。

「硬水」「軟水」の違いはどこにある？

ミネラルウォーターを選ぶ際、誰もが一度は迷うのが「硬水」とか「軟水」といわれる水の区分だろう。

ミネラルウォーターの味を決めるといわれる硬度は、水に含まれるカルシウム濃度、マグネシウム濃度で表される指標のこと。簡単にいってしまえば、水に含まれるミネラルのうち、カルシウムとマグネシウムの含有量が多ければ硬水、少なければ軟水ということになる。

ところが、水の硬度の算出基準は、国によってバラバラ。計算法によって、アメリカ硬度、ドイツ硬度、フランス硬度、イギリス硬度などの種類がある。

このうち、日本で広く採用されているのはアメリカ硬度で、「カルシウム濃度（ミリグラム／リットル）×２・５＋マグネシウム濃度（ミリグラム／リットル）×４・１」で算出されている。

いずれにせよ、各国の硬度の基準がまちまちということは、単純に度数だけを見ても比較はできない。そもそも、何を〝良質な水〟とするかは国によって考え方が異なるので、ヨーロッパに多い硬水は、日本人の舌にあわないことも多い。

結局、実際に飲んで「コレだ！」と感じるものを探し当てるまで、飲み比べるしかなさそうだ。

「7×50」「°7」…双眼鏡に記された数字の正体は？

双眼鏡のボディに、「7×50」「8×21」などといった数字が記されていることをご存じだろうか？　さらには、「°7」などの数字も記されている。

それらの数字が意味しているのは、その双眼鏡の性能である。たとえば「7×50」の「7」は、レンズの倍率を表している。「7」なら7倍ということで、これは700メートル先の対象物を、肉眼で100メートルの距離で見たときと同じように見えることを意味する。

一方、「7×50」の「50」は対物レンズ、つまり対象物に近いほうのレンズの有効径を表している。単位はミリ。レンズをボディに取り付けるにあたり、レンズの外側部分1ミリ程度は犠牲になる。その部分を差し引いた実際に使用するレンズの直径のことだ。

「。7」というのは、視野の広さを表す。双眼鏡をのぞいたときに見える視野の角度で、実視界と呼ばれる。

では、これらの数字は、大きければ大きいほどいいかというと、そうとも限らない。倍率が高いほど、たしかに大きくは見えるが、その一方、対象物が暗く見える、視野が狭くなる、手ぶれの影響が大きくなるといったデメリットがある。とくに手持ちで使う場合、手ぶれを考えると10倍以下が使い勝手がいい。観劇なら3～6倍、野鳥観察なら7～9倍程度あれば十分だ。実視界も同様だ。広いほど開放感があり、対象物を探しやすくなるが、端の部分に歪みが生じやすい。

つまり「7×50」「。7」といった数字は、その双眼鏡の性能を表してはいるが、数字が大きいほど、優秀で便利であるとも限らないというわけだ。

竜巻の強さを測る単位「Fスケール」とは？

日本でも、大気の不安定な時期には、ときどき竜巻が起きるが、世界規模で考えれば、日本の竜巻は小規模の部類だ。一方、アメリカの竜巻は巨大かつ破壊的だ。2021年にケンタッキー州などを襲った竜巻では、90人以上が死亡した。

竜巻にも、その強さを測る単位がある。「Fスケール」という単位で、「フジタ・スケール」とも呼ばれている。「フジタ」の頭文字から「Fスケール」となったのだ。フジタとは、シカゴ大学教授だった藤田哲也氏のことである。竜巻研究の第一人者だった藤田氏とその仲間によって「Fスケール」はできあがった。

現行のFスケールでは、竜巻は強度別にF0からF6までの7段階に分けられる。その強度を測る基準となるのは、最大風速や被害状況などだ。竜巻通過後の被害状況写真や証言も、スケールを決定するうえで、重要な情報になる。

各段階の竜巻の強さは、まずF0は被害が軽微で、木の枝が折れたり、道路標識が損傷する程度。Ｆ１は中程度の被害で、家の瓦《かわら》が飛んだり、ガラス窓が割れたり、自動車が道から押し出されたりする。Ｆ２は、民家の屋根が吹っ飛んだり、自動車がころがされるといった大きな被害だ。大木でも倒れることがある。

Ｆ３になると、民家の屋根だけでなく、壁も吹き飛ばされ、倒壊する家屋が出てくる。森の木々さえもが、引っこ抜かれてしまう。日本では、２００６年に北海道佐呂間《さろま》町を襲った竜巻がＦ３スケールと認められている。この竜巻では、９人もの死者が出ている。

Ｆ４になると、さらに重大な被害をもたらす。住宅がバラバラになって吹き飛び、列車だって飛ばされる。自動車であれば、ミサイルのように吹き飛んでいくという。日本では、このクラスの竜巻は発生しないと考えられている。Ｆ５は、ありえないほど莫大な被害だ。強固な建築物でさえもが吹き飛ばされ、大地にあった多くの物が宙を舞うことになる。

最近はＦ６も想定されていて、もし起きるなら壊滅的な被害が予想される。

2章

9割が答えられない「業界」の単位のフシギ

ビットとバイトの違いで知る パソコンの基本とは？

パソコン音痴の人にとって、パソコン用語の「メモリは何ギガバイト？」「ビット数はいくつ？」という会話は、外国語のように聞こえるもの。とはいえ、パソコンやスマホを使ううえで、基本となる単位くらいは知っておいたほうがいいだろう。パソコンや周辺機器のパンフレットを見ていると、「32ビット」「64ビット」などという言葉を目にする。この「ビット」とは何だろうか？

普通、パソコンで扱うファイルの大きさは、「バイト（byte）」で表されているが、バイトは「ビット（bit）」が8つ集まったもの。一方、ビットは、コンピュータが扱うデータの最小単位である。

さて、パソコンのなかでは、すべての情報（デジタルデータ）が「0」と「1」の組み合わせによる2進法で表されていて、この「0か1か」が1ビットの情報。

つまり、1ビットでは、扱える情報はたったの2種類しかない。2ビットでは、

00、01、10、11の組み合わせとなり、4つの情報が扱えるようになる。
このようにして、3ビット、4ビットと増えていくと、扱える情報はどんどん増えていく。そして、パソコンでは「8ビット」のデータをひとまとまりとして、1バイトという単位にしている。12個の品物を、1ダースと表現するようなものだ。

さて、8ビットでは、0と1の組み合わせは256通りになり、256種類の情報を表現できるようになる。初期のパソコン（マイコン）に8ビットのものが多かったのは、この数字が都合のよいものだったからだ。

というのも、256種類あれば、アルファベットや数字、記号、半角カナ文字をひと通り表すことができるからだ。パソコンが一部のマニアにしか使われていなかった時代には、それで充分まにあった。

ところが、日本語には何千という漢字やひらがながあり、1バイト256種類ではとても表現しきれない。そこで、16ビット（2バイト）が使われるようになった。2バイトであれば、6万5536種類の情報を表現できるからだ。さらに、パソコンの世界的な普及で、各国言語で使用される文字への対応など開発が進み、日本語の主な文字も3バイトで表す文字コードが使われるようになっている。

当然のことながらパソコンで処理する情報が増えれば対応するビット数も大きくなるため、その後、32ビット、64ビットに進化してきたというわけだ。

キロバイト、メガバイト、ギガバイト…の大きさはどのくらい？

前項で述べたように、バイトは、コンピュータの基本的な単位のひとつ。パソコンで扱うファイルの大きさ、ハードディスクの容量、データの通信量などは、バイトで表されている。といっても、実際にパソコンで作成したファイルのデータ量は、キロバイト（ＫＢ）やメガバイト（ＭＢ）といった単位で表されていることが多いが、これらの基本となっているのがバイトである。

繰り返しになるが、バイトというのは、ビットをひとつの塊にしたもので、8ビット＝1バイトとなる。この1バイトを基本としてデータ量が増えていくと、どうなるか。これは、10ミリが1センチ、100センチは1メートル、1000メートルは1キロメートルと単位名が変わるのと同様に、バイトもキロバイト、メガバイト、ギガバイトと変わっていく。

キロ、メガ、ギガは「国際単位系（SI《エスアイ》）」で定められた「SI接頭語」で、さまざまな単位に付く。1×1000がキロ、キロの1000倍がメガ、メガの1000倍がギガとなる。しかし、コンピュータは2進法の世界。10進法では1000倍がキリがいいが、2進法では1000に近い数字として、2の10乗＝1024が用いられる。具体的には、1バイト×1024＝1キロバイト、1キロバイト×1024＝1メガバイト、1メガバイト×1024＝1ギガバイト、1ギガバイト×1024＝1テラバイトとなる。実際にパソコン画面に表示されるのは、KB、MB、GB、TBなどのアルファベットなので、読み方とともに覚えておくといい。ただし、ハードディスクの容量などを表記する場合、1キロバイトを1000バイトで計算することも増えている。

これらの単位をざっと頭に入れておくと、メールで送受信するファイルの大きさを把握できるし、音楽ファイルや動画ファイルをダウンロードする際、保存するメディアの容量やダウンロード時間が推測できるようになり、作業をスムーズに行える。また、スマホで「ギガが足りない」と困ることも少なくなるだろう。

現在パソコンは大容量のものでも4TBぐらいまでだが、単位としてはさらに大きいペタバイト（PB）、エクサバイト（EB）などもある。

靴の幅を表すとき、「E」が使われるのは？

靴のサイズ表示は、「24センチE」や「27センチEEE」など、「センチ」の次に、アルファベットの「E」を並べる形で表される。

この「E」は「足囲《そくい》」といい、足の親指の付け根と小指の付け根の周囲をくるりと測った長さを表す記号。要するに、足の横幅を表す記号であり、単位といえる。

サイズは、最も細いほうから、A、B、C、D、Eのアルファベット順に表し、6ミリずつ大きくなっていく。一般的な成人女性で、D～Eが標準的なサイズになる。そして、Eよりも大きい表示は、EE、EEE、EEEEと、4Eまで続き、その上は再びアルファベット順に戻って、FやGと続いていく。

というわけで、他のアルファベットも使われているのだが、男性の足のサイズは、大半の人がEからEEEEあたりであるため、「E」ばかりが目立つというわけだ。ちなみに同じ「E」でも男性と女性では6ミリの差がある。

絵画のサイズ「号」はどう決まる？

油絵や水彩画などの絵画の寸法には、「号」という単位が用いられている。号は、カンバスを張る木枠の長辺の寸法によって決められた単位で、サイズは0号〜500号まであり、木枠が大きくなるにつれて2号、3号、4号と号数の数字も大きくなる。

では、なぜ絵の寸法の単位に「号」が用いられているのだろうか？　縦○センチ×横○センチと表示したり、紙の大きさである「A4」「B4」などとしたほうが、よほどシンプルでわかりやすいように思えるのだが。

しかし、「号」を用いたほうが便利なこともあるのだ。完成した絵は、額に入れて飾るが、もしカンバスに規格サイズがなければ、額はすべてオーダーメイドとなり、お金も手間もかかってしまう。共通の規格があれば、お気に入りの絵にぴったり合う額縁を手軽に探すことができる。

ところで、同じ8号サイズの絵でも、「P8号」「F8号」などと記されていることがある。これは、カンバスの木枠にF、P、Mの3種類があり、号数は同じでも寸法が違うためで、描かれるものの内容によって使い分けられている。

F、P、Mはそれぞれフランス語のFigure（肖像）、Paysage（風景）、Marine（海）の頭文字からとったもので、F＝人物画、P＝風景画、M＝海景画に適したサイズといわれる。縦横の比率が正方形に近いのが人物画のF型で、M型は短辺が短い細長の形をしているのが特徴だ。

「原油1バレル100ドル突破」の「バレル」ってどんな単位？

原油価格の高騰が伝えられるとき、よく耳にするのが「バレル（barrel）」という単位だ。「原油1バレルが100ドルを突破！」といったニュースが流れると、運輸業者やメーカーは頭を痛めることになる。

「バレル」は体積を表す単位であり、単位記号は「bbl」。とくに石油や天然ガスに対して用いられる。イギリスとアメリカで広く使われている「ヤード・ポンド法」の単位のひとつであり、1バレルは158・97リットルである。

「バレル」は、もともと胴のふくれた樽を指す。かつて、人類が石油とほとんど縁のなかった時代には、ワインやビール用の樽を指していた。19世紀になって石油の生産と利用が拡大すると、その樽に新たな用途が生じたというわけだ。当初、石油輸送に使われたのはシェリー酒の空樽であり、そこからバレルは石油の体積を表す単位となった。石油専用のドラム缶などが開発されてからも、「バレル」は単位として残りつづけてきた。

ヤード・ポンド法では、「バレル」のほかに、体積を表す単位として「ガロン(gallon、記号gal)」がある。ガロンも樽を意味するのだが、「ガロン」と「バレル」の関係は、イギリスとアメリカでは異なっている。1ガロンの体積が、アメリカとイギリスとでは異なり、アメリカでは1ガロンが約3・78リットルなのに対して、イギリスでは1ガロンは約4・55リットル。そして、1バレルはアメリカでは

42ガロンで約159リットルだが、イギリスでは36ガロンで約163リットルとなる。

アメリカで1バレル＝42ガロンとなった背景には、次のような事情があった。有力な石油産地だったペンシルベニアでは、50ガロンの樽が使われ、その樽に原油を詰めて消費地に運んでいたが、届いたときには中身は42ガロンくらいに減っていた。当時の輸送手段は馬車であり、舗装道路もなかった。馬車の揺れによって、樽から原油がこぼれ、また原油が蒸発もした。そんな目減り分も考慮して、1バレル＝42ガロンとなったのだ。

さらに面倒なことに、バレルは石油以外でも使われる体積の単位なのだが、1バレル＝42ガロンとされるのは、石油や天然ガスについてのみである。

人の「馬力」って実際のところどのくらい？

今でこそ自動車やバイクの性能を表す際には、排気量である「cc」が使われているが、かつては「馬力（PS）」で表されていた。今も、メーカーによっては排気量とともに「PS」を併記している。排気量と馬力はかならずしも比例するわけではないが、排気量3000ccの自動車なら、およそ260馬力といったところだ。

「馬力」は仕事率を表す単位である。その名のとおり、馬がどれだけの仕事をできるかが基準になった。かつては、馬に3万3000ポンドの重さのものを1フィート（約30センチ）引かせたときの仕事量を1馬力としたのだ。その後、厳密に定義され、1秒間に75キログラム重の力で物体を垂直に1メートル持ち上げたときの仕事率が1馬力とされた。

「馬力」という単位を思いついたのは、イギリスのジェームズ・ワットである。ワットは蒸気機関を改良、実用化した人物であり、蒸気機関の能力を表す単位を求めていた。当時、重い物を動かすのには馬か牛が使われていたので、ワットは馬の力に着目したのである。

馬力をワットに換算すると、1馬力＝735・5ワットとなるが、かつては2つの値があった。イギリスの英馬力では1馬力＝745・7ワット、フランスの仏馬力では1馬力＝735・5ワットだったのだ。今は英馬力は廃され、仏馬力で統一されている。英馬力の単位は「horsepower」から「HP」であり、仏馬力の単位は「pferdestärke」から、「PS」で表されている。

「馬力」はたんなる単位ではなく、力を表す言葉として日本語にも定着している。「もっと馬力を出して働け」「あいつには馬力がない」などとよく使われる。なお、人の本当の「馬力」がどれくらいかというと、0・1馬力程度である。

日本酒のラベルにある「日本酒度」「酸度」と味の関係は？

日本酒の味は、辛口・甘口、淡麗といった言葉でも表されるが、味には個人の感覚による違いがあるもの。そこで、「日本酒度」と呼ばれる科学的かつ客観的な数値も用意されている。

そもそも、日本酒には、水分をのぞいて、エチルアルコール、酸（コハク酸、乳酸、リンゴ酸など）、アミノ酸、糖分の4つが含まれていて、この4つの成分がどのような割合で含まれているかで味が変わってくる。

とはいえ、各種成分の配合は酒蔵の企業秘密で公表されない。そこで、「日本酒度」と「酸度」という数値が用いられている。

日本酒の裏ラベルを見ればわかるが、アルコール度数の表記とともに、「日本酒度＋5」「酸度1・1」といった数字が見える。これらの2つの割合から、酒の味の傾向を知ることができるのだ。

日本酒度は、日本酒の比重を表す数値のことで、糖質の量によって導きだされる。温度15度の酒に、日本酒度計と呼ばれる浮秤《うきばかり》を浮かべて計測する際、純粋な水と同じ比重の目盛りをゼロとして、それより酒の比重が軽ければプラス（＋）、重ければマイナス（－）となる。

プラスは辛口、マイナスは甘口を意味し、目安としては、日本酒度がマイナス1・5以下は甘口、マイナス1・4～プラス1・4が普通、プラス1・5からプラス3・4がやや辛口、プラス3・5～プラス5・9が辛口、プラス6以上が大辛口の酒となっている。さらに度数が上がると超辛口といわれる酒にもなる。

一方、淡麗・濃醇といった分類をするのに用いられているのが「酸度」。酸度は、酒に含まれるコハク酸、乳酸、リンゴ酸などの割合のことで、味の濃淡を表す。平均値は1・3〜1・5くらいで、1・5を境に数字が増えたものは、酸味が強く、濃厚な口当たりになり、数値が小さければ、酸味が弱く淡麗な口当たりになる。
したがって、上記の例でいえば「日本酒度＋5」「酸度1・1」なら、淡麗な味わいの辛口の酒と推測できるのだ。

パン1斤ってどれくらいの重さ？

食パンは、薄く切ったときには「1枚、2枚」と数えるが、かたまりのままのものは「1斤《きん》、2斤」と数える。この「斤」は、どれくらいの重さを示すのだろうか。斤は、尺貫法に基づく重さの単位で、1斤は160匁《もんめ》。グラムに直すと約600グラムになる。

ただし、現在、食パンに使われている斤は、この尺貫法に基づく斤ではない。イギリスなどで使われていた重さの単位の「ポンド（453・592グラム）」が日本に入ってきたとき、この値に近いことから、食パンに関しては120匁（約45

0グラム）が1斤とされた。そして、この食パンに使う斤は、当初は「英斤」と呼ばれ、もともとの斤とは区別されていた。その英斤のほうが、今の食パンの単位のもとになっているのだ。

とはいえ、市販の食パンは1英斤よりもさらに軽く、340グラム以上なら1斤と表示できる。これは、パンを焼く前に、生地の重さを計っているから。焼く前のパン生地は水分をたっぷり含んでいるため、オーブンに入れる前のパン生地が1英斤（約450グラム）だったとしても、焼き上がったパンは水分が抜け、340グラム～400グラムほどに減ってしまうというわけだ。

山登りの目安「○合目」は〝感覚〟で決まる？

山に登るとき、どれだけ登ったかの目安になるのが「合目《ごうめ》」だ。「まだ6合目」「8合目までくれば、あとは気合いだ」などと、登山者にとって「合目」は重要な単位となっている。

ただし、「合目」という単位には、あいまいでよくわからないところがある。1合目から頂上の10合目までの標高や距離を10等分しているわけではないからだ。頂上までの険しさの度合いを目安として、登った程度を表しているにすぎない。

たとえば、富士山を例にとると、まずルートによって、5合目の標高は異なる。富士宮口からの場合、5合目の標高は2400メートル、河口湖口（吉田口）からなら標高2305メートル、須走ルートなら標高2000メートル、御殿場口からとなると新5合目の標高は1440メートルとなる。同じ富士山に登るにしても、5合目の標高はルートによってまちまちで、1000メートル近くも違う場合があるのだ。これは、各ルートで自動車で登れる地点を〝5合目〟としたため。

そのあと、6合目、7合目とつづく標高も均等ではない。富士宮口からの場合、5合目と新6合目の標高差はわずか90メートルしかない。新6合目と新7合目の標高差は290メートル、新7合目と8合目の標高差は470メートル、8合目と9合目の標高差は210メートルとなる。それぞれの標高差はまちまちなのだ。

結局のところ、「合目」は、その山をよく知る人たちの〝主観〟によって決められているといってもいい。

お米を炊くときに使う「1合」「2合」の「合」って何？

日本人の主食である米は、今は米穀店やスーパーで2キログラム、5キログラムというように、キログラム単位で売られている。メートル法の施行によって、一般の商取引では「合」や「升《しょう》」を用いることが禁止されたためだ。

ところが、いざ米を炊く段になると、1合、2合という単位が登場してくるのが不思議なところ。炊飯釜の内側にも、1合、2合、3合という目盛りがあり、水加減のラインが引かれている。

また、炊飯器には、米を量る計量カップがついていて、こちらもすりきり一杯で1合の米を量ることが可能。そのカップは、一般的な計量カップの規格（200ミリリットル）ではなく、米を量るために作られた特殊な1合サイズになっている。

「合」は尺貫法の単位で、その10倍が「升」。この升の容量を全国で統一しようと考えたのが豊臣秀吉だった。

当時、年貢米を量るための枡《ます》の容量がバラバラだったためで、豊臣秀吉は京都で使われていた京枡を用いて米の単位となる「升」を定めた。

やがて、江戸時代に入ると、幕府は「新京枡」という新しい規格をつくった。秀吉の「京枡」よりも少し大きな容量で、これを明治政府も採用し、当時の物差しで縦横4・9寸《すん》（約15センチ）、深さ2・7寸（約8センチ）の枡を1升と定めた。

今の単位に換算すると、およそ1・8リットルになる。

一升瓶、一斗樽…お酒の世界をめぐる単位の話とは？

「1升なんざ、大した量じゃないよ。ゆうべも1升空けちゃってサァ…」といえば、左党の酒量自慢だが、これを古代中国の人が聞いたら、「それだけしか飲めないのか」と笑われるかもしれない。

というのも、古代中国で定められた「升」は、両手ですくったほどの量のことで、当初は今の1合くらいしかなかったからだ。それが、唐の時代に今の3合ほどに増え、日本へ伝えられたとみられている。

升という漢字は、ものの量を量るときの様子をかたどったもので、米や酒の量を量る容器を意味する「枡」という漢字にもつながった。ただし、今のような統一された規格がなかったため、枡の大きさは地域によってバラバラだった。

前項で述べたように、豊臣秀吉が京枡のサイズを定め、江戸時代になってから、徳川幕府は、枡の容積を現在の1・804リットルと定め、それが現在まで受け継がれている。

ところで、酒の量を表す単位としては、「升」のほか、居酒屋や晩酌での基準となる「合」があるが、合の下には「勺《しゃく》」という単位がある。

「勺」は、もともと古代中国で使われていた酒をくむ容器のことで、その容積が勺という単位に定められたと伝えられる。1勺は1合の10分の1で、およそ18ミリリットル。料理の計量スプーンの大さじ1が15ミリリットルなので、それよりほんの少し多いくらいの量である。

ちなみに、升より大きな単位に、石《こく》や斗《と》がある。容積の大きい順番に並べると、1石＝10斗＝100升＝1000合＝1万勺となる。「日本酒の一斗樽」「二合徳利」などというように、酒の世界では、今もこれらの単位系が用いられている。今となっては、量をイメージしにくいのが難点ではあるが、「18リットル樽」というよりは「一斗樽」のほうがよほど風情があるのはたしかである。

ポイント、号、級…活字の大きさの単位がいろいろあるのはなぜ?

印刷文書をつくるときなどに、文字の大きさを指定するのに使われているのは「ポイント」という単位。「ポ」や「P」「pt」と略される。

日本で正式にポイントが使われるようになったのは、1962年、JIS（日本工業規格）で採用されてからのこと。ポイント活字には、ヨーロッパ式とアメリカ式の2種類があり、日本はアメリカ式を採用している。

ヨーロッパの多くの国で使用されているのは、1ポイント＝0・3759ミリのディドー式、アメリカおよびイギリスで使用されているのは、1ポイント＝0・3514ミリのアメリカ式で、わずかに大きさが異なる。

JISでポイントが制定されるまで、日本で用いられていたのは「号」という単位だ。幕末から明治初期に中国経由で導入され、広く使われていた単位で、大きさは初号から8号まで。大きさの基準になっていたのは5号で、ポイントに換算すると10・5ポイント。2号は21ポイント、初号は41ポイント、という具合に、数字が小さいほうが文字が大きくなる。

また、活字の大きさには「級」という単位もあって、こちらは現在も出版・広告業界などで使われている。これは、もともと写植文字の大きさを表す単位だった。写植機の歯車の1回転の4分の1を送る長さを基準に決められ、1級は1ミリの4分の1の0・25ミリ。4分の1を英語でQuarterというところから、頭文字のQをとって「級」とした、といわれている。編集者が、本や雑誌の校正刷りに赤字を入れるときは、「この見出し、18Qに」とか「ここの文字、Q上げ」などというように、「級」を「Q」で表記する。

ちなみに「Q上げ」とは、級数を上げること。つまり「文字を大きくしてください」という意味である。

日本で9号の指輪、外国での表示は？

海外で指輪を買ったことのある人はご存じだろうが、指輪のサイズの単位は国によって異なる。アクセサリーのネットショップをのぞいてみると、各国の指輪サイズの対応表が載っているが、たとえば日本で9号の指輪は、アメリカでは5、イギリスサイズではJ、ヨーロッパ諸国では49という具合に、サイズ表記はてんでバラバラなのである。

ただ、表記は違っても、指輪のサイズの測り方は2通りしかない。リングの「内側の円周」を測る方法と、リングの「内側の直径」を測るという方法だ。

日本の「号」という単位は、内周の直径13ミリを1号として、内径が1ミリ増えるたびに3サイズ大きくなる仕組み。内径13ミリが1号なら、14ミリが4号、15ミリで7号となる。つまり、9号と10号とでは内径の大きさは3分の1ミリ違うことになる。

一方、ヨーロッパ諸国では、円周の長さを基準にしてサイズが決められている。内周40・8ミリが41、41・9ミリが42…というように増えていく。

また、イギリスサイズは、指輪のサイズをアルファベットで表すもの。この方式は、アイルランドやオーストラリアでも採用されている。

このように、各国でまちまちの単位を統一するため、指輪のサイズにはＩＳＯ国際規格がもうけられている。これによって、リングの内周をミリメートル表示で示すことや、41～76のあいだの整数で表示することなどが制定されている。

これを受けて、日本では、国際規格にのっとったＪＩＳ規格が２００２年に定められたのだが、現在は、従来の号数とＪＩＳ規格とが併用されている状態で、今も統一されていない。

いずれにせよ、自分にぴったりの指輪のサイズを知りたければ、プロにまかせるのが一番。宝石店には「リングサイズゲージ」や「リングスティック」というサイズを測る器具があり、サイズがわからなくなってしまった指輪の号数を測ってもらうこともできる。

宝石の単位「カラット」の数字の意味とは?

宝石の重さを表す単位「カラット(carat/karat)」は、他の単位とはどこか違って、語感からしてゴージャスに響くもの。しかし、そんなイメージとは裏腹に、カラットの語源はじつに素朴で、アラビアからアフリカに多く生えているマメ科の植物の名「キラト」に由来する。キラトの日本名は「いなご豆」だ。

「宝石の単位が豆!?」と驚く人もいるだろうが、古代社会では豆や種がよく単位の基準に使われた。穀物や植物の種子は、大きさや重さが安定しているため、基準に用いるのに適していたのだ。

また、ダイヤモンドを筆頭に、宝石というのは粒が小さい。小さいのに高価だから、重さをキッチリ量らなければならない。ところが、天秤に分銅をのせて目方を量る際、軽すぎるものは通常の分銅では量りにくい。

そこで登場したのが、分銅よりも軽いいなご豆である。しかも、いなご豆は1粒

0・2グラム程度の重さで一定しているため、宝石の目方を量るのに好都合だったのである。この方法を編み出したのは、宝石の取引をしていたアラビア商人たちで、「カラット」という単位も彼らが使いはじめた。

その後、この「豆」の名は、ヨーロッパにも広まり、やがて宝石の重量単位として正式に定められた。1907年にメートル法によって1カラット＝0・2gと定められ、日本でも、1953年にメートル法に基づき、1カラット＝0・2gと定義された。

18K、24K…ゴールドの単位「K」は何を意味している？

宝石の単位であるカラットは、金つまりゴールドの単位としても用いられている。carat または karat と書き、記号にはKやktが用いられる。よく、ゴールドの指輪や金製品に刻印されている18K、24Kの「K」もカラットと読む。これを日本語では18金、24金と読んでいるわけだ。

ただし、宝石のカラットと違うのは、金のカラットは重さではなく「純度」を表すという点だ。純度100パーセントの金を24カラットとして、純金量の割合を表すのである。だから、1カラットといえば、金の含有量が24分の1の合金のこと。18Kなら、金の含有量は24分の18となり、金が75パーセント含まれている合金とわかる。

万年筆に使われる金は、14Kの金張りが多く、指輪などのアクセサリーには、18Kが使われることが多い。金の延べ棒（金塊）は、もちろん24Kの純金だが、ジュエリーに使われることが多いのは18Kである。

金は金属のなかではやわらかいため、純金を用いると、加工するときに変形したり、キズがつきやすい。そのため、宝飾品に金を用いるときには、別の金属との合金にして使うのだ。

それは、金にほかの金属と混ぜやすいという特性があるからでもある。金に、銀や銅、パラジウムなど、より硬い金属を加えて合金にすることで、強度を補強することができるというわけだ。

また、合金には別のメリットもある。ゴールドにはイエローゴールド、ピンクゴールド、ホワイトゴールドなどと、色の違うものがある。それは、合金に使う金属の違いによって、金の色が微妙に変化するからである。

たとえば、金のほかに銀だけを混ぜたものはグリーンゴールドと呼ばれ、銅を多く使ったものはレッドゴールド、その中間のものはイエローゴールドと呼ばれている。

シャンパンボトルのサイズの不思議とは?

市場に出回っているワインボトルは、容量750ミリリットルのボトルサイズが一般的だ。この容量が決まったのは、ガラス製のワインボトルが使われるようになった1600年代後半のこと。イギリスのボトル容量が5分の1ガロンだったことに由来する。後に、これをメートル法に直し、750ミリリットルとしたわけだ。

そのほか、ワインのボトルには375ミリリットルのハーフボトル（demi）や、1500ミリリットルのマグナム（magnum）などがある。

一方、シャンパンには、ひじょうに数多くのボトルサイズがある。高級酒だからだろうか、ボトルひとつひとつにも固有の名前がつけられ、サイズの大きなボトルになると、聖書や伝説にちなんだ呼び名がつけられている。

たとえば、6リットル入りが「メトセラ」、9リットルが「サルマナザール」、15リットルが「ネブカドネザル」、18リットルが「メルキオール」、さらに25リットルが「ソヴリン」、27リットルの「プリマ」などなど、とんでもない巨大ボトルが作られている。とはいえ、あまりに大きなボトルは、もちあげることさえ不可能。「ソヴリン」や「プリマ」は、よほど大きなパーティでもなければ、お目にかかれない。

ちなみに、名前の由来をざっと紹介すると、「メトセラ」は聖書の「創世記」に登場する人物で、969年間生きたという伝説をもつ。「サルマナザール」はアッシリア王の名前、「ネブカドネザル」は紀元前6世紀のバビロン王の名前だ。

3尺玉の花火の大きさは?

夏のお楽しみイベントのひとつといえば、花火大会。浴衣で会場へ行くのもいいし、マンションの屋上でビール片手に「たまや〜」と声をかけるのも楽しい。楽しみ方は人それぞれだが、みんなが心待ちにしているのは大会のクライマックス、夜空に大輪の花を咲かせる大きな大きな打ち上げ花火だろう。

その打ち上げ花火、サイズによって30号玉とか3号玉というように、「号」という単位で表される。

と聞いて、「ん？　花火のサイズは『○尺玉』という表現のほうがしっくりくるな」と思う人もいるかもしれない。

そう、日本で古くから用いてきた花火の単位は、「尺《しゃく》」や「寸」だった。打ち上げる前の玉を、直径が3尺（90センチ）なら3尺玉、直径3寸（9センチ）なら3寸玉と呼んだのだ。

号になったのは、メートル法を導入してからのことで、正式には尺や寸が使えなくなった。そこで、1寸を1号として、3尺玉なら「30号玉」、3寸玉なら「3号玉」と呼ぶようになった。

では、花火が打ち上げられて開いたときの直径は、どれくらいになるだろうか。30号玉（3尺玉）の場合、ひゅる〜〜〜と高さ600メートルまであがったところでドーンと爆発し、広がる花の直径は、なんと550メートル。じつにダイナミックである。

ちなみに、世界最大級の打ち上げ花火が見られるのは、新潟県小千谷市の「片貝まつり」。ここの売りは、ギネスにも載っている40号玉の巨大花火だ。

直径120センチもある大玉の花火が打ち上げられると、夜空に直径800メートルにもおよぶ大輪を咲かせるというから、なんともスケールが大きい。地元の人々は、花火のサイズ単位が正式には「号」に変わった現在も、愛着をこめて「4尺玉」と呼んでいる。

3章

単位がわかると、ニュースがわかる

どうして$と書いてドルと読むのか？

よその国のお金の単位で、なじみ深いのは？　と聞けば、多くの人がアメリカのドルと答えることだろう。初めて手にした外国のお金が、アメリカのドルだったという人も多いに違いない。

その「ドル」という単位名は、どこから来たものだろうか。これは、16世紀のボヘミア（チェコ）、ザンクト・ヨアヒムスタールという銀の鉱山で鋳造された銀貨「ヨアヒムスターラー」に由来する。

昔、ヨーロッパに広く流通していたこの銀貨が、いつしか「ターラー」と略されるようになり、それがアメリカにわたって「ダラー」になったとみられている。

とすると、ちょっと不思議なのは、$という記号だ。ご存じのように、ドルはアメリカ以外でも、通貨単位名に使われ、オーストラリア・ドル、カナダ・ドル、香港・ドル、ニュージーランド・ドル、シンガポール・ドルなどがある。そのため、それらの国々のドルと区別するために、アメリカ・ドルはUS$と表記する。

この$という記号が何に由来するかについては、いくつかの説がある。たとえば、ローマの金貨「Solidus」の頭文字「S」に飾りとして、あるいは区別するために縦の線を引っぱったという説。また、アメリカ大陸に最初にわたったスペイン人が、「Peso」という通貨単位を使っていたため、PとSを組み合わせたのが記号になったという説もある。Sはそのまま残り、Pが変化して縦線になったというもので、時代からみて、この説が有力とみられる。

ドルは、アメリカでは「バック」という俗称で呼ばれることが多いが、これは昔貨幣の代わりに鹿の革（buck）が使われたことから。一方、ドル紙幣は以前紙幣の裏側がグリーンだったため、「グリーンバックス」とも呼ばれる。

イギリスの貨幣単位ポンドを「£」で表すのは？

日本の通貨「円」は、英語のスペル「YEN」の頭文字「Y」を使って、「¥」

と表す。ほかにも、多くの国の通貨単位は、その頭文字を使って表すことが多いが、なかには例外もある。前述のドルとイギリスのポンドである。

「$」は、前項で述べたように、スペインの通貨単位がもとになったという説が有力だ。一方、ポンド（Pound）の頭文字は「P」だが、イギリス通貨のポンドを表すときには、「L」に横線を入れた「£」を使う。これは、かつてのイギリスで「ライブラ（Libra）」と呼ばれる古代ローマの通貨が使われていた名残り。そのライブラの頭文字の「L」が、ポンドの時代になっても残ってきたのである。

中国で「元」という通貨の単位を耳にしないワケは？

中国のお金の単位は「人民元」で、単位は「元」。発音はユェンに近い。中国のお金の単位を大きい順に並べると「元」、次が「角」、その次が「分」となる。

ところが、中国人の会話では、ユェンという発音はまず聞かない。中国の「元」は、領収書などを書くときの〝書き言葉〟であり、話し言葉のときには、「クァイ」

と発音が変わってしまうからだ。

これは、次の単位の「角」も同じで、話し言葉ではマオ（mao）と変化する。日常的にあまり使われない「分」は、フェン（fen）と発音する。

ところで、中国では紙幣・硬貨ともに、ひじょうに多くの種類のお金が出回っている。そのなかで最高額は100元紙幣。以下、紙幣には、50元、20元、10元、1元、5角、1角などがある。

硬貨は、1元硬貨、5角硬貨、1角硬貨などがあるが、中国では日本よりもはるかに支払いのデジタル化が進んでいるので、紙幣も硬貨も出番が激減している。

ナノテクノロジーの「ナノ」って、どんな大きさを表す単位？

ナノテクノロジーは、超微小な世界で、物質を操作、制御する技術のこと。今後、技術の可能性をさらに広げるテクノロジーとして注目されている。ただ、この言葉自体はかなり古くからあり、今から半世紀前の1974年、元東京理科大学教授の谷口紀男氏によってすでに提唱されていた。

この「ナノ」はナノメートルの略で、10のマイナス9乗メートルのこと。つまり、ナノテクノロジーは、10億分の1メートル単位の微小物を扱う技術ということになる。この「ナノ」も「キロ」や「メガ」と同じように、国際単位系の「SI《エスアイ》接頭語」である。大きい数字となるキロやメガは大文字の「K」「M」が記号として用いられるが、小さい世界を表す「ナノ」の記号は小文字の「n」である。

これだけ微細な世界に立ち入る技術があれば、原子や分子の配列を変えて、物質の性質を変えることも不可能ではない。

環境汚染問題で登場する「ｐｐｍ」って何の略？

大気汚染や水質汚染が問題になると登場する単位が、「ピーピーエム（ｐｐｍ）」である。

ピーピーエムとは、「parts per million」の略。つまりは百万分率のことだ。1

ピーピーエムは、10のマイナス6乗＝100万分の1を示す。1ピーピーエムは、0・0001パーセントとなる。

ピーピーエムという単位が使われるようになったのは、微量な物質の濃度が問題にされるようになってからのことだ。

たとえば、水中での濃度が0・0001パーセントや0・00003パーセントとごく微量であっても、環境や生物に影響をもたらす物質がある。そんな物質の濃度を「0・0001パーセント」「0・00003パーセント」と報告しても、ピンとこない。そこで「ピーピーエム」を使い、「1ピーピーエム」「0・3ピーピーエム」と表すようにしたのだ。

ピーピーエムで表すのは、おもに化学薬品や化学物質の濃度である。ところが、近年ではピーピーエムでも表しにくいほどの低濃度でも、環境に影響をおよぼす物質の存在が指摘されるようになっている。

そこで十億分率、つまり10のマイナス9乗を示す「ピーピービー（ppb）」や、一兆分率である10のマイナス12乗を示す「ピーピーティ（ppt）」といった単位も使われている。

宇宙ロケットやF1レースでよく出る単位「G」とは？

宇宙ロケットやF1レースなどを語るときに、よく登場する単位が「G（ジー）」である。「カーブを曲がるとき、F1レーサーの体には4〜5Gがかかっている」「宇宙船の飛行士には、瞬間的に最大8Gがかかる」などと使われている。

そんなことから、「G」を恐ろしいもののように感じている人もいるかもしれないが、「G」は単に加速度を表す単位のひとつである。厳密にいえば、標準重力加速度を表す単位である。

加速度の国際単位系（SI）には、「メートル毎秒毎秒（m/s^2）」がある。1メートル毎秒毎秒は、1秒間に1メートル毎秒の加速度と定義されている。

一方、「G」は国際単位系ではないが、1G＝9・80665メートル毎秒毎秒と定められている。この値は、地球の重力を考慮したものだ。地球は、物体を重力によって引きつけている。物体を地球の中心に向けて引きつけるからには、そこに加速度が生じる。それが重力加速度なのだが、その値は地球のどこにいるかで微妙に異なる。

そこで、まずは北緯45度の海上の重力加速度1Gが9・80619920メートル毎秒毎秒とされた。その後、国際度量衡総会によって今の値となり、「標準重力加速度」とされている。

「G」は「メートル毎秒毎秒」に比べれば、傍流の単位なのだが、いつしか世間的には「メートル毎秒毎秒」を押しのけて、有名な加速度の単位となった。「G」という単位名が馴染みやすいので、スピードとそれがもたらす人体への圧力を語るときに、マスコミが好んで使ってきたからだろう。

騒音が100デシベルを超えたら、どのくらいうるさい？

新幹線や飛行機の騒音が問題になると、「デシベル」という単位が登場する。「騒音が100デシベルを超えた」といったように使われ、ニュースや新聞記事では、もっぱら音の大きさを表す単位として用いられている。

ただ、厳密にいえば、「デシベル（dB）」は、音の大きさを表す単位ではない。本来は、音圧レベルや音の強さを比によって表す単位である。音圧とは、音が進んでいくときに空気中の分子にかかる圧力のことだ。

デシベルの計算は、じつに複雑だ。計測のもととなっているのは、音圧実効値というもので、これは大気中の圧力の瞬間値と静圧との差の2乗の平均の平方根である。この音圧実効値をもとに、さらに複雑な計算をして算出する。

音を測る単位には、ほかに周波数の単位であるヘルツもあるが、デシベルとヘルツでは視点が異なる。

ヘルツは、周波数という自然界の現象を客観的に計測する。一方、デシベルは、人間側の立場に立って音圧を計測しているのだ。人間の耳に何も聞こえない状態を0デシベルとし、そこから音のレベルを規定している。

具体的には、静寂では4デシベル、木の葉がふれあう音が聞こえる程度で20デシベルとなる。昼間の騒々しい街頭で70デシベル、地下鉄の車内で80デシベル、電車が通るときのガード下が１００デシベル、ジェットエンジンの後方およそ10メートルで１２０デシベルとなっている。１３０デシベルともなると、鼓膜が破れてしまいそうなほどの轟音《ごうおん》となる。

気圧の単位が「ミリバール」から「ヘクトパスカル」になったのは？

台風が近づくと、「９２０ヘクトパスカルの大型台風」といったニュースが流れる。「ヘクトパスカル（hPa）」は、気圧、つまりは大気の圧力を測る単位である。

気圧を測る単位には、「atm」という単位もあるが、一般には圧力の単位である「ヘクトパスカル」が使われる。1気圧は１０１３・25ヘクトパスカルと定義され、「標準大気圧」と呼ぶことになっている。

「ヘクトパスカル」は、「ヘクト」と「パスカル」の２つから成り立っている言葉である。「ヘクト」は１００倍を意味するＳＩ接頭語で、１００パスカルが１ヘクトパスカルだ。

そもそも、「パスカル（Pa）」は圧力を表す単位だ。物理学でいう圧力は、単位面積に働く力の大きさを指し、1パスカルは、1平方メートルにつき、1ニュートン（N）の圧力がかかったときの力の大きさを表す。

「パスカル」という単位名は、フランスの科学者であり、数学者でもあったブレーズ・パスカルに由来する。パスカルは、大気圧の存在を実証した人物である。

大気圧については、日本の気象庁は、かつて「ヘクトパスカル」ではなく、「ミリバール（mb）」という単位を使っていた。1バールは、1平方メートルにつき、10万ニュートンの力が作用する圧力だ。1バールは10万パスカルであり、1バールの1000分の1が1ミリバールである。つまり、1ミリバールが100パスカル＝1ヘクトパスカルである。

そのミリバールがヘクトパスカルに変わったのは、パスカルが国際的に受け入れられている単位だったからだ。

1992年にこの変更が行われたが、さしたる混乱はなかった。1ミリバールと1ヘクトパスカルが、まったく同じ大きさの圧力だったからだ。数字は変わらなかったので、伝えるほうも伝えられるほうも、単にミリバールをヘクトパスカルに変えればよかったのである。

ミクロより小さい世界の単位とは？

ごく小さい世界のことを指すとき、よく「ミクロの世界」という。以前は、1000分の1ミリを表す単位として「ミクロン」が使われていたが、現在は国際単位系（SI）で定められた「マイクロメートル」に変更されている。世の中にはミクロよりさらに小さい世界があり、単位がある。そのひとつが「フェムトメートル（fm）」だ。

1フェムトメートルは、10のマイナス15乗メートルである。「マイクロメートル」が10のマイナス6乗メートルで、前述の「ナノ」が10のマイナス9乗だから、フェムトメートルはミクロやナノの世界よりもさらに小さな世界を表す単位である。

それは、いったいどんなものかというと、原子核内の世界である。物質の基本単位である原子は、原子核と電子によって構成されている。

中心にある原子核には陽子と中性子があり、陽子と中性子はπ《パイ》中間子を交換しあうことで、結びついている。1フェムトメートルとは、陽子と中性子の間で、π中間子が届く距離のことをいう。

それは、原子核の半径を表しているともいえる。陽子と中性子が離れてしまい、π中間子が双方に届かなくなったら、原子核を結びつけている力が弱まり、ついには崩壊してしまう。π中間子が届く距離なら原子核は安定しているわけで、π中間子の移動する距離は、原子核の半径を示しているということになる。

「フェムトメートル」は国際単位系のSI接頭語「フェムト」と「メートル」の組み合わせだが、以前は、イタリアの物理学者エンリコ・フェルミにちなんで命名された「フェルミ」が同じ大きさの単位として使われていた。

地震のときによく聞く単位「ガル」から何がわかるのか？

近年、大きな地震が起きると、「ガル」という単位を耳にすることがある。「ガル」によって、その一帯がどれだけ振動したかがわかるのだ。
「ガル（Gal）」は、重力加速度を測る単位である。1ガルは、1センチメートル毎秒毎秒（㎝／s^2）の加速度である。ガルという単位名は、イタリアの科学者ガリレオ・ガリレイに由来している。

ガルは重力加速度の単位だが、地震の振動加速度の単位でもある。一般的に加速度が大きいほど揺れも大きくなると考えられる。地震大国の日本ではこれまで何度も大地震が起き、想定以上の振動加速度が測定され、そのたびに耐震設計の見直しが行われてきた。

たとえば、1995年の阪神・淡路大震災が起きる前までは、建築基準法では300～400ガルを想定し、それに耐える建築基準が設定されていた。ところが、阪神・淡路大震災では、神戸海洋気象台が818ガルを観測。ほかにも、600ガルを超える揺れが各地で生じていた。従来の建築基準では、600ガルを超えると、鉄筋の建物であろうと全壊の危険が高まることが判明した。

その後、2007年の新潟県中越沖地震では、柏崎刈羽《かしわざきかりわ》原発が想定外の揺れを受けた。3号機タービンの建屋は、834ガルの揺れを想定して設計されていたが、実際にはその2倍以上の2058ガルを計測したのだ。

そのときは原発の緊急停止に成功し、大事に至らなかったが、2008年の岩手・宮城内陸地震では4022ガル、2011年の東日本大震災では2934ガル、2024年の能登半島地震でも2826ガルの最大加速度が観測されている。このように大地震のたびに想定外のガル数が計測され、日本の地震対策は決して十分ではないことが明らかになっている。

マグニチュードが1上がったときの地震エネルギーの大きさは？

地震速報がテレビに映し出されると、その地震のマグニチュードが発表される。

マグニチュードは、アメリカの物理学者チャールズ・リヒターが1930年代に考案したものだ。そのため、英語では「リヒタースケール」とも呼ばれる。

マグニチュードは、震央から100キロ離れた地点にある地震計が記録した最大振幅の数字をもとに計算されるが、震央から100キロ離れた地点にかならず地震計があるとはかぎらないので、実際には震源の深さや震央までの距離などに基づいて計算されている。

面倒なことに、その計算方法は世界各国で異なっている。そのため、同じ地震でも、国によってマグニチュードの評価が変わることもある。

日本で発表されるマグニチュードは、日本の気象庁が算出しているものだ。そのため、「気象庁マグニチュード」とも呼ばれている。

また、断層運動からマグニチュードを算出する方法もあり、その方式は「モーメント・マグニチュード」と呼ばれている。

マグニチュードと地震エネルギーの大きさは、数字の大きさに単純に比例しているわけではなく、マグニチュードが1上がると、地震のエネルギーは約32倍になる。マグニチュードが2上がれば、地震のエネルギーは約1000倍になる計算だ。マグニチュード7の地震でもかなり衝撃的なのだが、マグニチュード9の地震はその1000倍のエネルギーを持っているのだ。マグニチュード12の地震が起きるとしたら、地球が2つに割れるほどのエネルギーとなる。

一方、「震度」は、ある地点での地震動の強弱を表す数値であり、同じ地震でも場所によって震度は異なる。一般に、震央から近いほど、震度は大きくなる。震度は7が最大で、震度8以上は存在しない。

2011年3月11日の「東日本大震災」はマグニチュード9・0、震度7を記録している。

いつから放射能の単位はキュリーからベクレルになった？

福島第一原発の事故の際には、「ベクレル」「シーベルト」「グレイ」といった、それまであまり耳にしなかった言葉が飛び交った。いずれも、放射能や放射線に関する単位名なのだが、どのような違いがあるのだろうか。

まず「ベクレル（Bq）」は、放射性物質の放射能の量を表す単位である。放射能の強さを表す単位といってもいい。

放射能をもつ原子核が超高速で崩壊の連鎖をはじめると、大きなエネルギーを放出し、それが原子爆弾や原発のエネルギーを生み出している。1ベクレルは、1秒間に平均1個の原子核が崩壊して放射線を出す放射能量ということになる。

ベクレルと同じく放射能の強さを表す単位として、かつては「キュリー」があった。ラジウムの発見者であるキュリー夫妻にちなんでつけられた単位で、原子核の崩壊が1秒間に3・7×10の10乗となる放射性物質の量のことをいった。つまり、1キュリーは370億ベクレルとなる。

かつては、キュリーも単位として使われていたが、測定技術が未発達の時代に決められた単位だけに、細かな測定が可能になると、単位としてあまりに大きすぎて実用に向かなくなった。そこで、放射能の発見者であるフランスのアントワーヌ・アンリ・ベクレルの名にちなむ「ベクレル」が使われるようになった。

放射線量の単位シーベルトとグレイの関係は？——その1

放射能の量を表す単位が「ベクレル」なら、放射線の量を表す単位が「シーベルト」と「グレイ」である。「放射能」と「放射線」は混同されがちだが、科学的には違う概念で、放射性物質から発せられるのが放射線で、放射能はその能力のことだ。

原発や原爆では、放射性物質の原子核の崩壊が超高速で進み、核分裂生成物が生じる。核分裂生成物質は放射性物質であり、α（アルファ）線、β（ベータ）線、γ（ガンマ）線、中性子線などを発する。α線、β線、γ線、中性子線をまとめて放射線と呼んでいる。

放射線の量を測定する単位には「グレイ」と「シーベルト」があり、このうち「グレイ（Gy）」は放射線の吸収線量の単位である。

1グレイは「放射線によって重さ1キロ当たり1ジュールのエネルギーが与えられるときの吸収線量」をいう。

グレイで測るのは、生物だろうと物質だろうと、それらが受けた放射線の量だ。α線、β線、γ線、中性子線という放射線の種類にかかわりなく、その吸収量の単位に「グレイ」を使う。たとえば、その土地がどれだけの放射線を浴びたかは、「グレイ」で表す。

また、「グレイ」は放射線治療においても使用される単位にもなっている。1回の治療では、数十グレイの放射線が患部に照射されている。

なお、「グレイ」という単位名は、放射線生物学を創始したイギリスのルイス・ハロルド・グレイにちなんでいる。

放射線量の単位シーベルトとグレイの関係は？——その2

放射線量を表す単位には、「グレイ」とともに「シーベルト」がある。「シーベルト（Sv）」は、人体に対する放射線の影響を表す放射線量の単位だ。人体への危険度を表す放射線量の単位といっていい。

「グレイ」と「シーベルト」は、基本的にはよく似たことを表す単位なのだが、人体に関しては「シーベルト」を使う。「グレイ」では、放射線の人体への影響までは表せないからだ。放射線の影響は、人体のどの部位に当てたかで、影響度が異なってくる。また、α線、β線、γ線といった放射線の種類によっても、人体への影響度は変わってくる。

「グレイ」が表すのは、あくまで物質が吸収した放射線量であり、人体へのリスクの大きさまでは考慮されていない。それでは、人体が受けた被曝の大きさを表すことはできないので、「グレイ」をもとにして「シーベルト」を算出するのだ。

1ミリシーベルトは、一般人が1年間にさらされてもいい人工の放射線の目安とされる。ただ、自然環境にも放射線があり、1年間に自然環境から受ける放射線の世界平均は2・4ミリシーベルトとなっている。

胃のX線撮影を1回受ければ、4ミリシーベルトの線量当量となる。X線CTなら、7〜20ミリシーベルトだ。

光が1年に進む距離「光年」って何？

宇宙は広大であり、星と星との間の距離をキロメートルで表すと、10の何乗にもなってしまう。それでは不便なので、宇宙での距離を測る特別の単位が設けられた。そのうち、もっとも知られているのは「光年」だろう。

「光年」は英語では「light year」、単位記号は「ly」だ。1光年は、光が1年に進む距離となる。光の速度は毎秒29・9792458万キロメートルなので、1光年は約9兆4600億キロメートルということになる。

太陽系から一番近い恒星まで、どれくらいの距離があるかというと、およそ4・22光年。ケンタウルス座α星の伴星C、別名プロキシマ・ケンタウリと呼ばれる星だが、光の速さをもってしても、地球から4年以上もかかるのだ。

銀河系の大きさとなると、途方もないのひと言である。その直径は8万光年、円盤状になっているうち、もっとも厚い部分の幅は1万5000光年にもなる。

光年より大きい天文の単位「パーセク」って何？

〝宇宙用〟には、光年以上に大きな単位がある。それが「パーセク（pc）」だ。1パーセクは、3・259光年となる。1パーセクが3・259光年というキリの悪い数字になっているのは、以下のような算出法に基づいているからだ。

パーセクは「年周視差」を利用して計算される。地球からある星までの距離を測定するとき、ただ測るだけでは誤差が生じる。地球が太陽の周りを動いているため、時期によってその星の見える位置が微妙にずれるのだ。それを「視差」と呼び、ある星を頂点とし、地球と太陽をつなぐ三角形を描いたとき、その星側の三角形の角度が「年周視差」となる。年周視差を考慮に入れてはじめて、地球とその星との正確な距離を測定できるのだ。

「パーセク」の算出には「天文単位（au）」という単位を使う。「天文単位」も、宇宙の距離を表すひとつの単位であり、1天文単位は地球と太陽の間の平均距離。約1億4960万キロメートルだ。太陽系内の惑星など、光年で表すには距離が近い場合に使われる。

そして、地球が1天文単位を動いたとき、視差が1秒（1度の3600分の1）となる星と地球との距離が1パーセクとなる。そうして算出した数字が、1パーセク＝3・259光年となるのだ。

ただ、パーセクによる測定には限界がある。視差が生じるのは、地球に比較的近い星に限られる。遠い星の場合は視差がほとんど生じないので、パーセクを算出できない。そのため、パーセクは銀河系の星の測定時に使用する程度である。

太陽の光度は、何カンデラくらいあるのか？

明るさを表す単位には「カンデラ」や「ルクス」があり、そのうち光源の明るさを表す単位が「カンデラ（cd）」だ。かたい言葉でいえば、「光度」の単位であり、光源からの光の量を表す。

カンデラの基準となったのは、もともとロウソク1本の明るさだった。「カンデラ」という言葉自体、ロウソクを意味するラテン語から生まれている。

カンデラはこの単位名がつく前に、「キャンドルパワー」という別の単位名で呼ばれ、1860年、イギリスで鯨油《げいゆ》を使ったロウソクの明るさをもとに定められた単位だった。それによると、1キャンドルパワーは、1時間に120グレーン（約7・8グラム）燃焼する6ポンド（2722グラム）の鯨油ロウソクの明るさと定義されていた。その単位が日本に渡ったとき、日本では「燭《しょく》」という単位名になった。1キャンドルパワーが1燭となったのである。

その後、鯨油ロウソクがすたれたため、ガス灯や白熱電球の明るさが単位の基準になったが、1948年になって、光度について国際的な統一が行われた。「キャンドルパワー」が廃され、新たに「カンデラ」が単位として使われることになった。1キャンドルパワーが1・0067カンデラとされたので、キャンドルパワーからカンデラへの変更に大きな混乱はなかった。

なお、100ワットの白熱電球の光度は、100カンデラ程度。太陽の光度は、およそ3・15×10の27乗カンデラという、まさしく天文学的な数字になる。

1等星、2等星…星の明るさはどうやって決まる?

星の明るさを調べるときは、「等級」という単位を用いる。「等級」といいながら、実際には「○等星」という呼び方になる。基本的には、1等星から6等星までの6段階に分けられ、1等星がもっとも明るい。6等星となると、肉眼ではほとんど見えない暗い星となる。

星の等級は、古代ギリシャ時代から存在し、天文学者ヒッパルコスは、すでに1等星から6等星に分類していた。それは単なる分類であったが、19世紀になって、イギリスの天文学者ジョン・ハーシェルが、科学的に分析し、等級を体系化した。ハーシェルは、1等星の明るさは6等星の明るさの100倍と定め、そこから6等星の明るさを1としたとき、他の星がどれだけの明るさになるかを決めていった。

等級では、たとえば5等星は6等星よりも2・5倍明るく、4等星は5等星よりも2・5倍明るいと定められている。そうして等級の数がひとつ減るごとに2・5倍明るくなり、2等星となると6等星よりもおよそ40倍明るくなる。2等星よりも2・5倍明るい1等星は、6等星よりもおよそ100倍明るいことになるのだ。

1等星から6等星までに分けていく過程で、ひとつの基準となったのが、恒星シリウスである。シリウスはおおいぬ座のα星であり、地球からの距離は8・6光年と比較的近い恒星だ。肉眼ではもっとも明るく見える恒星であり、シリウス（マイナス1・46等級）を1等星の基準として、他の星の等級を定めていったのだ。

等級には「絶対等級」という単位もある。これは、地球から見た明るさではなく、すべての星が地球から等距離にあると想定したときの星の明るさを測定したものだ。絶対等級で見ると、もっとも明るいのはシリウスではなく、1等星のなかでは、はくちょう座のデネブやオリオン座のリゲル、さそり座のアンタレスといった星である。

「ジャンスキー」って何の単位？

電波というと、電子機器から発せられるものと思いがちだが、自然界からも発せられている。たとえば、太陽からは常に電波が放射されているが、太陽フレアにともない突発的に強い電波が発せられたりする。また、遠い宇宙からも電波が発せられ、地球に届いている。

太陽系の存在する銀河系の内部にも電波源があり、その電波を「銀河電波」と呼んでいる。銀河の中心方向からの電波がもっとも強いことが観測によってわかっている。

そうした天体からの電波の強度を表す単位が、「ジャンスキー（Jy）」である。1ジャンスキーは、1平方メートルの面積に、1ヘルツ当たりのエネルギー量が、10のマイナス26乗ワットであるときの放射線の強さを示す。日常で使う電波と比べると微弱である。

ジャンスキーという単位名は、アメリカのカール・ジャンスキーという研究者の名にちなむ。ベル研究所で働いていたジャンスキーが、銀河電波の存在をつきとめたからだ。以降、天体の構造や進化を読み解く手がかりのひとつとして、宇宙電波の種類や強弱が注目されるようになった。日本にも宇宙電波観測所が設けられ、宇宙研究に役立っている。

核戦争が危惧された時代の殺戮単位「メガデス」の謎とは？

世の中には、死者の数を計る単位もある。それが「メガデス」で、1メガデスは死者100万人と定義されている。100万を意味する「メガ」と、死を意味する

「デス」が合体してできた言葉だ。

なぜ、こんな物騒な単位ができたかというと、かつての冷戦時代には、アメリカとソ連による全面核戦争が危惧されていたからだ。戦後、アメリカにつづいてソ連が原爆の製造に成功、さらに両国は水爆まで開発、互いに多数の核ミサイルを相手国とその同盟国に向けていたのだ。

もし、アメリカとソ連との間で戦争がはじまれば、それは激しい核戦争となり、巨大都市は壊滅する。その破壊によっておびただしい死者が出ると予測され、それは1万人単位の死者ではすまないと考えられた。

そこで、ランド研究所のハーマン・カーンが『熱核戦争について』という著書で、「メガデス」という言葉を使った。1億人が核戦争で死ねば、100メガデスとなるのだ。

かつての冷戦は終了したものの、依然、世界から戦争がなくなったわけではない。「メガデス」という単位には、今なお使われる余地が残されている。

4章

おさえておけば、いつか役立つ単位の教養

1ヤードの長さはどうやって決まったのか？

日本では、距離や長さを測るときに「メートル」を使うが、イギリスとアメリカでは異なる。今も、一般には「メートル」ではなく「ヤード」がよく使われている。「ヤード」という単位は、ゴルフで使われているので、日本人も耳にする機会は多いだろう。その長さは0・9144メートルである。

「ヤード」の仲間には「インチ」や「フィート」があり、1ヤード＝36インチ＝3フィートと定められている。また「マイル」も「ヤード」の仲間であり、1マイル＝1760ヤードだ。

メートル法は1799年にフランスで制定され、1875年に「メートル条約」が締結されて以降、世界各国に普及している。日本も1885年（明治18）には加盟している。

一方、「ヤード」や「インチ」は、もともとイギリスで生まれた単位で、イギリスの植民地だったアメリカでも使われるようになった。ほかに、重さを量る単位である「ポンド」もイギリス起源の単位であり、それらを総称して「ヤード・ポンド法」と呼ぶ。アメリカでは、「イングリッシュ・ユニット（英国単位）」とも呼ばれている。

「ヤード」の起源をさらにさかのぼると、もとは古代ローマ帝国で使われていたとみられている。古代ローマで、人間の腰周りの長さを基準としたという説もあれば、頭のてっぺんから手を真横に伸ばしたときの指先までの長さを基準としたという説もある。ほかに、ノルマン朝の国王ヘンリー1世が、腕を前に伸ばしたときの鼻から親指までの長さを基準にして決められたという説もある。

いろいろなマイルがある理由とは？

「マイル」というと、飛行機によく乗る人は「マイレージサービス」が頭に浮かぶことだろう。あるいは、競馬好きの人は「マイルチャンピオンシップ」が頭に浮かぶかもしれない。

「マイル」は日本人も比較的よく耳にするので、それが距離の単位であることはご承知だろう。問題は、マイルがいったいどれほどの長さかということ。1マイルは、およそ1・6キロメートルだ。

「およそ」としたのには、理由がある。ひと言にマイルといっても、いろいろな長さのマイルがあるからだ。

一般的なマイルは「国際マイル」と呼ばれるもので、1マイルは1760ヤードと決められている。1ヤードは0・9144メートルだから、1国際マイルは1609・344メートルとなる。陸上競技のマイルレースなどでは、この国際マイルが使われている。

これに対して、「ノーティカルマイル」や「シーマイル」と呼ばれるマイルがある。海上や空でよく使われる距離単位であり、1ノーティカルマイルは1852メートルになる。これは地球上の緯度1分（1度の60分の1）に相当する。日本語では「海里《かいり》」という。

では、航空会社のマイレージサービスで使われるマイルは、空のマイルであるノーティカルマイルを基準にしているかといえば、そういうわけでもない。航空会社によって、ノーティカルマイルが使われることもあれば、国際マイルが使われることもある。

ほかにも、「法定マイル」「測量マイル」といったマイルがあり、アメリカの公有地測量システムには測量マイルが使われている。

なお、日本の競馬レース「マイルチャンピオンシップ」の距離は１６００メートルとなっている。国際マイルなら約１６０９メートルとなるところだが、メートル法の国の日本では端数を切り捨てている。

学校で習わない単位「インチ」が定着したのは？

「インチ」というと、テレビやパソコンの画面サイズを思い浮かべる人が多いことだろう。ほかに、自動車や自転車のタイヤのサイズも「インチ」で表すし、ゴルフクラブのシャフトの長さも「インチ」で示す。「インチ」という単位が、日本人の日常生活に食い込んでいるわりには、その長さがよくわからない、ピンとこないという人もいるだろう。

1インチは、2・54センチだ。たとえば、「55型のテレビ」というのは、画面の対角線の長さが55インチあるということで、センチで表せば139・7センチになる。

「インチ」は「ヤード・ポンド法」の単位であり、イギリスやアメリカではよく使われている単位だ。ただ、その単位名の由来は、諸説あってはっきりしない。

ひとつの説は、古代ローマ起源説。古代ローマでは、手の親指の幅をひとつの単位と見なした。その幅は、だいたい足の大きさの12分の1である。そこから、足の長さを1フートとし、その12分の1である手の親指の幅を1ウンキア（uncia）とした。「uncia」はラテン語で12分の1の意味。それがイギリスに伝わったとき、英語で「インチ」とするようになったという。親指の幅が1インチというのは長さをイメージしやすくなるのではないだろうか。

その一方、イギリス起源説もある。かつて、イギリスには「バーレイコーン」という単位があり、1バーレイコーンは約8・47ミリだった。バーレイコーンとは

「大麦の粒」という意味で、大麦の粒の縦の長さが基準になっていたのだ。

その後、14世紀にイングランド国王のエドワード2世が「バーレイコーン」から新たな単位を考え出した。大麦の粒を3つ並べてひとつの単位とし、それを1インチと呼ぶようになったという。

日本に「インチ」が定着したのは、ひとつには、かつてアメリカからテレビ用のブラウン管を輸入していたからである。戦前の日本では、ブラウン管の開発が思うように進まなかったため、研究用にもアメリカからブラウン管を輸入しなければならなかった。そのアメリカ製ブラウン管に「インチ」が使われていたため、やがてテレビを自国で製造するようになってからも、日本ではブラウン管のサイズにはインチを使いつづけることになったのだ。

「高度3万フィート」って、実際、どのくらいの高さなの？

「フィート」は、飛行機に乗っていると、よく聞く言葉。「この飛行機は今、高度

3万フィートに向けて上昇をつづけています」といった機内アナウンスをよく耳にする。「フィート（ft）」は長さを測る単位であり、1フィートは0・3048メートルである。これもまた「ヤード・ポンド法」の単位のひとつであり、1フィートは12インチ、3フィートで1ヤードとなる。したがって、高度3万フィートは9144メートルになる。

フィートは、爪先からかかとまでの足の大きさを基準として生まれた単位である。「フィート（feet）」は、「フート（foot）」の複数形であり、ともに足を意味する。西洋人は足が大きいので、1フィートが30・48センチに定められたのである。

足の大きさが単位の基準のもとになったのは、それが土地を測量する際に便利なメジャー代わりになったからだ。土地のある地点からもうひとつの地点までの距離を測るとき、古代人は右足の爪先に左足のかかとを当てて、次に左足の爪先に右足のかかとを当てる、という方法で測ってきた。そこから、「フィート」という単位ができあがってきたのだ。

なお、英文法の単数形と複数形の原則に従えば、1フィートは正確には「1フート」と発音しなければならないはずで、2フィートからが「フィート」ということになる。ただし、今では英語圏でも「1フィート」と発音されている。

競馬のゴール前の叩き合いで登場する単位「ハロン」とは？

普通の人はあまり聞き覚えがなくても、競馬ファンならよく知っている単位が「ハロン」である。「ハロン」は距離の単位であり、1ハロン＝201・168メートルだ。

日本の競馬界では、1ハロンは200メートルということにしている。端数を切り捨てて、メートル法でキリのいい数字に換算して使っているのだ。

日本の競馬場には、ゴールから200メートルごとに「ハロン棒」と呼ばれる標柱が立てられている。そのハロン棒は、騎手にとっても観客にとっても、ゴールまでの距離を表すひとつの目安となっている。

競馬の世界では、この単位が「残り3ハロンの叩き合いで競り負けた」「前回よりもハロンタイムが悪くなっている」などと使われている。「残り3ハロン」とは

「ゴール前600メートル」という意味であり、競馬では勝負の行方を左右する局面。その残り3ハロンでスピードの落ちる馬は、レースに勝てないのだ。一方、「ハロンタイム」とは、「200メートルごとのラップタイム」ということだ。

「ハロン」もまた「ヤード・ポンド法」のひとつで、イギリスを起源とする。「ハロン」という言葉は、英語で「畝《うね》の長さ」を意味する「ファーロング（furrowlong）」に由来する。「ファロウ（furrow）」は畝のこと。馬や牛を使って効率よく畑を耕せる長さをもとに生まれた単位だ。

8ファーロング＝1マイルと定められ、「ファーロング」という言葉が「ハロン（furlong）」に変化し、今に至っているのだ。

重さにも体積にも使われる単位「オンス」の不思議とは？

質量を量る単位のひとつに「オンス（oz）」がある。日本では、香水の量を表示するときなどに、この「オンス」を目にする。

「オンス」もまた「ヤード・ポンド法」の単位のひとつで、「ポンド」と深く関わっている。オンスには12分の1という意味があり、かつて1ポンド＝12オンスだった。それがイギリスで1ポンド＝16オンス（約453・6グラム）に変化して、今に至っている。1オンスは約28・35グラムになる。

オンスは、ボクシングのグローブの重さを表す単位としても用いられている。プロボクシングの場合、おおむね8オンスか10オンスのグローブを着用することになる。

また、金や銀の重量を量るときには、トロイオンスという単位が使われる。1トロイオンスは約31・10グラムで、一般のオンスとは重さが異なる。こちらは12トロイオンスで1トロイポンドとなる。12分の1が生きているのだ。一般のオンスは、トロイオンスと区別するために「常用オンス」と呼ばれることもある。

また、「オンス」は体積を表す単位としても使われている。イギリスやアメリカ、カナダで使われ、しかもアメリカとイギリス・カナダとでは1オンスの体積が異なる。アメリカ液量オンスでは1オンス＝29・6ミリリットルなのに対して、カナダ・イギリス液量オンスでは1オンス＝28・4ミリリットルとなっている。

1エーカーの広さってどのくらい？

英米の小説を読んでいると、土地の面積を表すときに「エーカー」という単位が登場する。実際に、イギリスやアメリカでは、耕作地の面積を表すときに「ヘクタール」や「アール」ではなく、「エーカー」を使う。

「エーカー（ac）」もまた、「ヤード・ポンド法」の単位の一種であり、1エーカーは約4047平方メートルとなる。ヤード・ポンド法でいえば、1エーカー＝4840平方ヤードとなる。

「エーカー」は、もともとギリシャ語で「軛《くびき》」を意味した。2頭の雄牛を軛でつないで犂《すき》を引かせて1日で耕せる広さを「1エーカー」と呼んだのだ。

もちろん、雄牛の能力によって1日で耕作できる面積は異なっただろうし、土地の質によっても1日でこなせる面積は違っただろう。そのため、昔は1エーカーの広さが、国や地域によってまちまちだった。

スコットランドでは1エーカーが約6000平方ヤード、アイルランドでは1エーカーが8000平方ヤード近くもあったという。

それでは不便なので、13世紀、イングランドのエドワード2世の時代に、1エーカーは4ポール×40ポールの土地面積と定められた。それが今も用いられているエーカーであり、「法定エーカー」と呼ばれる。

その基準となった「ポール」も長さの単位で、1ポールは16・5フィート、およそ5メートルである。それによって1エーカーの面積が決まったというわけだ。

「ポール」は「ロッド」ともいい、土地の測量に用いた棒のことである。

世界で一番古い長さの単位「キュービット」とは？

「キュービット」は、長さを測るもっとも古い単位とみられている。じつに息の長い単位で、古代から19世紀ごろまではよく用いられていた。

古代エジプトやバビロニアでは、すでにキュービットは重要な長さの単位だった。

ピラミッドやバベルの塔の建設にも、キュービットが使われているし、『旧約聖書』に登場するノアの方舟《はこぶね》の大きさも、キュービットで表されている。

1キュービットはおよそ50センチで、基準とされたのは、肘《ひじ》から先の長さである。手指を伸ばしたときの中指先から肘までの長さが、1キュービットだ。

古代エジプトでは、王であるファラオの肘から先の長さをキュービットの基準にした。だから、ファラオが交代すると、1キュービットの長さも変わった。

キュービットは古代エジプトやバビロニアで定着し、古代ギリシャやローマの全盛時代にも用いられた。キュービットを使う国はなくなったが、「ダブルキュービット」という言葉は今も残っている。1ヤード（0・9144メートル）を意味し、キュービットは1ヤードの長さのもとになったとも考えられている。

「結び目」という意味のノットと船の速さの関係とは？

1960年、国際度量衡総会で採択された世界共通の単位系を、国際単位系「S《エス》

Ｉ《アイ》」と呼ぶ。ＳＩは、ひとつの量や大きさに対してひとつの単位を決め、シンプルな単位系で混乱の無いようにするのがその目的だ。

だが、長い間、その業界で使われてきた単位で、むりにＳＩ化すると、かえって混乱を引き起こすような場合、例外的に認められている単位がある。宝石の「カラット」や、航海・航空で使われる「海里」や「ノット」などがその代表格である。

1海里は、子午線の緯度1分に相当する地表面の距離のことで、1海里は1852メートルと定められている。一方、ノットは船の速度単位で、1時間に1海里進む速さが1ノット。現在、船の速さは、だいたい10～30ノット（時速約19～56キロメートル）くらいだ。

ところで、ノット（knot）は、もともと「結び目」という意味。船にはなんの関係もないように思えるが、昔は船の速度を測る際、結び目のついたひもを海に投げ込んで速度を測っていた。まず、ロープに一定の間隔で結び目をつけておき、浮きをつけて海に投げ入れる。そのロープに沿って航行し、一定の時間内に、何個の結び目を通過したかによって速さを測っていた。それが、「ノット」の由来だ。

ちなみに、そのときに使う「浮き」をログといい、そこから（航海）日誌のことを「ログ」と呼ぶようになった。

ストッキングの製品表示にある「デニール」ってどんな単位？

タイツやストッキングなどの製品パッケージには、60デニール、80デニールなどと表示されている。デニールは、生糸やナイロン糸などの繊維の太さを表す単位で、専門的にはこの量を「繊度《せんど》」という。

タイツを愛用している人の多くは、「デニール数が大きくなるほど、タイツが厚くなり、温かい」ことを経験的にご存じだろう。では、1デニールは、どれくらいの太さの繊維をいうのだろうか？

1デニールは、長さ9000メートルの糸が、1グラムのときの太さを表す。長さが同じで、太さ（=重さ）が2倍、3倍になれば、2デニール、3デニールと増えていき、その糸で織った生地は厚くなっていく。

デニールという単位名の起源は、紀元前3世紀末、ローマ帝国が制定した4・57

グラムの銀貨「デナリウス」に由来する。

古代ローマ時代、中国からシルクロードを経てもたらされた生糸や絹布が高値で取引された。その際、デナリウス銀貨と生糸を秤《はかり》にかけて取引したため、この名が糸に関する単位に使われるようになったといわれている。

現在の単位「デニール」が決められたのは、1900年のこと。開国と同時に生糸の輸出国となった日本も、いち早くこの単位を取り入れた。

当時、デニール数を測るために用いられていたのは、糸巻から450メートル分の糸を測り取る「検尺器」と、「デニール秤」と呼ばれる計器。この秤に一定の糸をかけると、それによってさおが傾くようになっていて、その傾斜角によってデニール数が測られていた。

モーターの単位「rpm」から何がわかる？

45rpmと聞いて、あなたなら何を連想するだろうか。古くからの音楽ファンなら、レコードの回転数を思い浮かべるのではないだろうか。

この「ｒｐｍ（アールピーエム）」は、revolutions per minuteの略で、１分間に回転する速度を表す単位のこと。レコードには、78回転のＳＰレコード、45回転のＥＰレコード、33と3分の1回転のＬＰレコードがあるが、45ｒｐｍのレコードを例にすれば、1分間に45回の速度でレコードがくるくる回っているという意味だ。

このほかに、ＣＤ、ＤＶＤ、ＭＤなどのディスク類、モーターで動いている自動販売機、電動歯ブラシ、自動車のエンジンの回転数などが、ｒｐｍという単位で表されている。標準的な自動車の場合、時速50キロで走っているときのエンジンの回転数はだいたい１２００ｒｐｍ、電動歯ブラシなら、４５００ｒｐｍや９５００ｒｐｍくらいの速度だ。

そもそも1坪はどうして あの広さに決まったの？

畳2枚分の広さを「1坪《つぼ》」と呼ぶことは、みなさんご存じのとおり。1坪はおよそ3・3平方メートルだが、どうしてこの面積を広さの基本単位「坪」と定めたのだろうか？

1坪は、もともと米の収穫量を基準にして決められた面積の単位だった。奈良時代の養老律令の「田令《でんりょう》」には、「長さ30歩《ぶ》、幅12歩の広さを1反《たん》（段）とする。10反を1町《ちょう》とする。1反は稲50束《そく》を収穫できる広さで、1束の稲から米は5升《しょう》とれる」、そして「1反につき、租税2束2把《わ》とする」という意味のことが記されている。

田令でいう「長さ30歩《ぶ》」の「歩」とは歩幅をもとにした長さの単位で、ほぼ2歩《ほ》歩いた分の長さが1歩に当たる。この長さ四方の面積を「一歩＝ひとつほ」といい、「坪」という字を当て、面積の単位としたのだ。

田令によれば、1反からは稲50束が収穫され、1束の稲から5升の米がとれるとある。これを計算すると、1反からは50束×5升で、1年に250升の米がとれることになる。昔の1升は今よりもずっと少なくて、1升＝4合《ごう》ほどだったから、250升の米は1000合に相当する。一方、人が食べる米の量は、1日で3合として、ちょうど1年で1000合くらい食べる計算になる。

というわけで、1反は1人が1年で食べる米を生産する面積で、1反＝360坪だから（昔の暦では1年360日）、1坪は1人が食べる1日分の米がとれる水田の広さだったのである。

豊臣秀吉の太閤検地以降、1反＝300坪に変わったが、これには稲作技術が向上して、米の収穫高が上がったことが関係している。

千石船の「千石」をトンに置き換えてみると…？

江戸時代から明治初期にかけて、日本の近海輸送では千石船《せんごくぶね》が活躍していた。帆船は陸上での行き来よりはるかに大きな輸送力を誇り、江戸時代の流通の主役であり、千石船は和船を代表する船だった。

和船の大きさを測る単位は「石《こく》」である。大きさによって、千石船や五百石船などと呼ばれた。「石」は日本古来の容量単位であり、とくに米の容量を表してきた。和船の大きさを測る場合にも、この「石」が積載物の体積を示す単位として使われるようになった。

ただ、米の単位の「石」と、船の積載量の単位の「石」はイコールではない。当時、米の「石」は地方によって容積や重さが異なることがあったので、船の場合は、10立方尺を1石として統一したのだ。だから、千石船は米を1000石（約150トン）積載できた船ではなく、10立方尺を1石として積載可能な容積が1000石ある船を意味したのだ。

現在、船の大きさは「トン」で測られるが、千石船を貨物船用の「トン」で測ると、100トンクラスの船になる。

長さを測る基本の単位「尺」とは？

10進法に基づくメートル法が採用される前、日本では「尺貫法《しゃっかんほう》」が用いられていた。長さの単位を「尺《しゃく》」、質量の単位を「貫《かん》」とする単位系で、1891年（明治24）の度量衡法によって制定された。

尺貫法は日本独自の単位系であるが、そのルーツをさかのぼると、古代中国にたどりつく。今から3000年以上前の殷《いん》の時代、すでに「尺」という長さの単位が用いられていたのだ。

ただし、当時の1尺は約18センチで、明治政府の定めた約30・3センチよりもかなり短い。それもそのはずで、「尺」という漢字は、人間が手の親指と人差し指を広げ、長さを測る形をもとにしているからだ。

その後、現在の長さほどまで引き延ばされた尺が、日本に伝えられたのである。しかし、現在のように明確に定義されていたわけではなかったので、尺の長さは曖昧で、さまざまな長さの尺が生みだされることになった。

たとえば、業界によって、鯨のヒゲで作った和裁用の「鯨尺《くじらじゃく》」、大工用の「又四《また し》郎尺《ろうじゃく》」などがあり、長さが違った。享保年間には、将軍吉宗が「享保尺《きょうほうじゃく》」を制定したが、時代によって、また測るものによって、異なる長さの尺が用いられてきたのだ。

長さがまちまちだったにせよ、長いあいだ人々の生活に根づいてきた「尺」は、現在でも多くの言葉に残されている。

「尺取虫」や、楽器の「尺八」をはじめ、歌の「アルプス一万尺」の「一万尺」も、長さの単位からきたもの。1尺＝約30センチとして計算すると、1万尺は約3000メートル。日本アルプスの高さとほぼ一致する。そう、この曲はヨーロッパアルプスではなく、日本アルプスを歌った一曲だったのである。

履物のサイズの単位「文」のルーツはどこにある？

足の大きいことで知られた人物といえば、プロレスラーのジャイアント馬場を思い浮かべる人もいるだろう。相手をロープにふり、キックを飛ばす必殺技「16文《もん》キック」を得意としたが、この「16文」というネーミングは、足の大きさに由来するものだ。

戦前まで、日本では、履物のサイズを表すのに「文」という単位を用いていた。履物店では、「何文のをお持ちしましょうか？」「10文の足袋をください」といったやりとりをしていたのである。

1文＝24ミリだから、16文は38・4センチにもなる。しかしジャイアント馬場の足のサイズは34センチ。それでも充分大きいが、38・4センチには満たない。

じつは、ジャイアント馬場が海外遠征で買ってきた靴に、アメリカの単位で「16」と刻まれていたのを見たマスコミが「16文」だと勘違いした。それで、16文キックと命名されたという。

さて、履物のサイズの単位「文」のルーツはどこにあるのだろう？　文は、江戸時代のお金の単位でもあり、小銭を1文、2文と数えたが、この銭の直径が24ミリだった。足袋やぞうりなどの「文」は、この銭の直径を基準にして決められたものである。

江戸時代のはじめの頃までは、足袋などは職人が客のために一品ずつつくっていた。しかし、時代とともに産業経済が発展し、履物の卸問屋や小売業が登場すると、履物の大きさに一定の規格が求められるようになった。

そこで、利用されたのが銭だったのだ。どこにでも流通している一文銭なら、ものさしがなくても共通の単位として利用できる。どこの誰がいつ決めたものかは定かでないが、なかなか合理的な方法といえる。

やがて、この規格が一般的になると、「文尺《もんじゃく》」とか「文木《もんぎ》」と呼ばれる専用の定規がつくられるようになった。

日本で誕生して国際的単位になった「匁」の謎とは？

「3合炊きの炊飯器」「一升瓶の酒」など、尺貫法の単位は、今も生活のなかで用いられている。ところが、正式な契約などでは、使用が認められていない。不動産業者が、「敷地は50坪以上ありますから、ガーデニングも楽しめますよ」などと客に話しても、正式な書面では、○○平方メートルと記さなければならないのだ。

ところが、使用が禁じられている尺貫法のなかで、唯一、国際的に採用されている単位がある。「匁《もんめ》」という重さの単位で、世界に通用する国際語にもなっている。

その話に入る前に、「匁」のルーツをたどっておこう。匁はもともと、中国・唐代に用いられた「開元通宝」という銭の重さからきている。中国では、銭を泉とも書き、その泉の略字が「匁」。その「匁」という字が日本へ伝来して、「1文の目方」という意味で「もんめ」と呼ばれることになった。

しかし、現在の重さの単位はキロ、グラムであり、匁を用いることはない。にもかかわらず世界に通用する単位とは、どういうことなのだろう？

じつは真珠取引の世界では、今も「匁」（momme）が採用されているのだ。真珠の養殖法は、1905年（明治38）、ミキモトの創業者・御木本幸吉翁が完成させたもので、当時、軽いものを量る際に用いられていた単位が「匁」だった。

それが国際的な重さの単位になったのは、むろん日本が世界で初めて真珠養殖に成功し、その後も世界の真珠生産をリードしてきたからだ。

尺貫法が廃止されたあとも、世界に浸透した「匁」を廃止するわけにはいかず、現在まで使用されることになったのだ。なお、現在の1匁は3・75グラムだ。

「1両」を今のお金にしたら大金？ そうでもない？

今の日本の通貨単位は「円」だが、明治になるまでは「円」ではなかった。「両《りょう》」が長く通貨単位として使われ、その価値は時代とともに変化した。

もともと「両」は重さの単位だったが、金の重さも表すことから、金銭的価値も意味するようになり、奈良時代には、金1両といえば重さ1両の砂金を意味した。当時、重さ1両は10匁だったが、時代が下るごとに、金1両の重さは軽くなり、鎌倉時代には、金1両は砂金5匁と、かつての2分の1になっていた。

その後もさまざまに変遷するうち、戦国時代、甲斐を統治した武田信玄が新たなルールをつくる。甲斐には金山があり、武田信玄は採掘した金の財力を背景に勢力を伸ばしていた。つまり、信玄には、金のルールをつくるだけの力があったのだ。武田家の金は1両＝4匁であり、通貨単位としては1両＝4分＝16朱とされた。

武田家は、信玄の子・勝頼の代に織田信長に滅ぼされるが、徳川家康は武田家の家臣を家来にするとともに、武田家の貨幣ルールを取り入れ、江戸幕府も武田家の金の通貨体系を継承した。

江戸幕府は、初期には金1両＝銀50匁＝銭4貫目とした。ただ、金貨、銀貨の為替レートは変動し、幕府もそのレートは市場経済にまかせるしかなかった。

1両を今の円に換算するのはむずかしく、同じ江戸時代でも時期によって異なってくる。日本銀行金融研究所による米価からの試算では、江戸初期、1両は約10万円の価値があったが、中後期になると3～5万円にまで落ちていたという。一方、賃金から計算して、中後期でも1両8～10万円、なかには10万円以上だったと計算する研究者もいる。

長さの単位「間」と豊臣秀吉の関係は？

日本の古い長さの単位のひとつに「間《けん》」がある。1間は約180センチであり、昔は日常的に使われた単位だ。

ただ、室町時代までは、1間の長さは、時代によって違ったし、地方によっても異なっていた。安土桃山時代、豊臣秀吉が全国を統一したとき、ようやく1間の長さの統一基準が定められた。秀吉は全国で検地を行ったが、検地の正確さを期するために、6尺3寸を1間と定めたのだ。検地は長さ1間の竿《さお》を用いて行われ、その竿の長さは約190・3センチだった。

江戸時代になると、1間の長さにまた変動があり、6尺1分に変わった。明治になってから、ようやく1間＝6尺（約180センチ）と定められた。

「間」のルーツをたどると、中国にいきつく。中国では、柱と柱の間の間隔を1間として、それがおよそ180センチだったのだ。日本にも「間」が〝輸入〟され、まずは建築用語になった。京都蓮華王院本堂、通称三十三間堂は柱間の数が33であるところから、その名がついた。

漁業関係者には便利だった「尋」ってどんな単位？

日本で古くから使われていた長さの単位に「尋《ひろ》」がある。おもに海と漁業の周辺で使われ、縄や網、釣り糸の長さ、水深を測る際などに用いられてきた。今でも、魚群探知機の目盛りに併記されていることがある。

「尋」は中国から伝わってきた尺貫法の単位のひとつである。昔は1尋は6尺、あるいは5尺とされ、明治時代になって1尋＝6尺に統一された。約180センチだ。

「尋」の単位の基準になったのは、両手を横に広げたときの左の指先から右の指先までの長さである。かつては、正確なメジャーがなかったので、物の長さを測るときに、人間の体をよく基準として使った。「尋」もそのひとつで、両手を広げれば、すぐにどれほどの長さか、見当がついたのである。

とくに漁業関係者には「尋」は便利な単位であった。網や釣り糸をたぐりよせるときには、両手を広げるようにする。その回数を数えれば、それで網や釣り糸の長さがわかったからだ。

その両手を広げた長さは、身長にほぼ等しくなる。昔は、身長が5尺程度（約150センチ）の人が多かったので、日本人には1尋＝5尺のほうがピンときたのかもしれない。それもあって、1尋が6尺の地域もあれば、5尺の地域も生まれたのだろう。

なお、「尋」を使った名前に「千尋《ちひろ》」がある。宮崎駿監督のアニメ映画『千と千尋の神隠し』の主人公の名でもあるが、千尋は1尋の1000倍、約1・8キロになる。単なる数字にとどまらず、辞書によれば、「非常に長いこと、非常に深いこと」を表すとある。

5章

文系でも知らないと恥ずかしいモノの単位

リットルの表記がℓからLに変わったのは？

今、若い人が容積単位の「リットル」を大文字の「L」で書き表しても、「それ、小文字の筆記体で『ℓ』と書くんだよ」などと指摘したりしないように。たしかに、以前は「リットル」を「ℓ」で表していたが、今は大文字の「L」に変わっているのだ。

これは、世界標準の国際単位系（ＳＩ《エスアイ》）の表記に合わせてのこと。単位記号は立体で、原則としては小文字で書くというルールなのだが、小文字の「l」（活字体）が数字の「1」に似ていて間違いやすいことから、今は大文字の「L」が採用されているのだ。２０１１年以降は、日本の算数や理科の教科書でも大文字で書くように変更されている。

そのほか、ミリリットルは「ｍＬ」、デシリットルは「ｄＬ」と、小文字と大文字の混用で書くのが、現在では正しい表記になっている。

「キロワット」は、どう書くのが正しい？

電力を表す単位「キロワット」は、KW、kw、kWのうち、どう書くのが正しいか、ご存じだろうか？

普通に考えれば、大文字、小文字を統一して表すKW、kwのいずれかが正しいように思え、大文字と小文字を混用するkWが正しいとは思えない。ところが、これも前項のmLやdLと同様、小文字と大文字の混用でkWと書くのが正しく、それが国際ルールとなっている。

もともと、電力を表す単位「ワット」は、大文字の「W」で表すのが国際ルール。これは人名に由来する単位は、最初の1文字を大文字で表記することになっているため。「ワット」は蒸気機関で知られるジェームズ・ワットから来ている。

一方、「キロ」は小文字の「k」で表すのが国際ルールであるため、両者を組み合わせた「キロワット」は「kW」と大文字と小文字とを交ぜて書くのが正しい表記になるのだ。

「%」という単位記号はどうやって生まれた？

百分率を表す「%」は、イタリア語をもとにして生まれた単位であり、記号である。まず、「パーセント」という言葉は、イタリア語の「per cento（ペル・チェント）」に由来し、チェントは「100」という意味。ペル・チェントは「100について」というような意味になる。

イタリアでは、かつてこのペル・チェントを省略して、「ｐｅｒ ｃ」や「ｐｃ」と表記していた。その「ｐｅｒ ｃ」「ｐｃ」が「%」と書かれるようになった理由をめぐっては、２つの説がある。

ひとつは、「１００」を並べ換えた「０１０」を「%」と書くようになったという説。もうひとつは、「ｐｃ」を急いで書くうちに、形が変わって「%」になったという説だ。

そもそも1メートルは どのようにして決められた?

単位の話をするとき、もっとも身近で、かつ基本的な単位といえば、メートルではないだろうか。

なにしろ「メートル条約」という国際条約の名前にもなっている単位である。その歴史をふり返ってみよう。

18世紀末、フランスを中心として、近代的な単位の統一がはじまった。国際間の取引が増え、それまで各国でまちまちだった単位を統一する必要が生じたからだ。

ところが、イギリスやアメリカがフランスに主導権を握られることを嫌い、ヤード・ポンド法に固執したため、協力を得られなかったフランスは、単独で子午線の測量をはじめ、1メートルという長さの基準を定めた。

その定義は「北極から赤道まで、パリを通る地球の子午線に沿って測った長さの1000万分の1を1メートルとする」というものだった。

現実に、1メートルの長さを正確に決めるために大規模な測量が行われ、1793年にはフランス北海岸のダンケルクから、スペイン地中海のバルセロナまでの測量が完了している。

これをもとにして子午線の長さ、そしてその1000万分の1の長さの1メートルが算出され、1799年には白金でつくられたメートル原器が完成した。

とはいえ、慣れ親しんだ単位から、メートル法への移行には時間がかかった。メートル条約が多国間で調印されたのは、フランスでメートル法が誕生してから、約1世紀を経た1875年のことだ。それを期に、新たなメートル原器がつくられ、条約加盟国に原器の複製が配られた。

だが、金属で原器をつくると、温度変化や経年変化によって、目盛りに微妙な誤差が生じてしまう。また、その後の測量で、子午線の長さにも誤差が発見されたことから、1960年、メートルの定義が変更され、さらに1983年、より精度の高い定義が採択された。

現在の基準は、「1メートルは、光が、真空のなかを2億9979万2458分の1秒のあいだに進む距離である」というものだ。

秒、分、時間…なぜ時間には60進法が使われているのか？

1時間は60分、1分は60秒と、時計の単位は60進法で成り立っている。重さや長さは10進法が多いのに、どうして時間の単位は60進法なのだろうか？

60進法を発明したのは、紀元前2000年頃の古代バビロニア人だったとみられている。バビロニア人は高い天文知識を持ち、新月から満月までの間隔約30日間を12回繰り返すと、1年365日が経過することを知っていた。

しかし、円周は365ではうまく割り切ることができない。そのため、近似値として360日を用いた。そして、星や太陽の動きから、天が1回転する角度を360度として、6つに分けた60を基本にしたという。

たしかに、円周を等分するのには、10よりも12のほうが合理的といえる。12という数字なら、2、3、4、6と4つの数字で割り切れるため、計算が簡単だ。また、時計の文字盤をつくるにも、半円を6等分したほうが割り切りやすい。

このように、円周をもとにして、1時間は60分、1分は60秒という現在の時間の単位ができあがったと考えられている。

もっとも、時計のなかった時代、古代人にとって必要だった時間の感覚は「1時間」くらいまでで、分や秒はあまり意味をもたない単位だったろう。それは、英語のhourとminuteの関係からもよくわかる。

まず、時間の単位として最初に作られたのは、hourだった。ところが、これでは大ざっぱすぎるということになり、1時間を60等分することになった。こうして生まれたのが分＝minuteだが、これには「細分化した」という意味がある。

さらに、分を60等分して秒＝secondが作られたが、secondには「二番目に（細分化した）」という意味がある。

ダイエットに欠かせないカロリー表示の考え方とは？

ダイエット志向の高まりから、最近では、パッケージにカロリー量を表示する食品が増えてきた。「低カロリー食品」「カロリーカット」「カロリーハーフ」「カロリーオフ」など、日本語とのミックスで使われることも少なくない。それでも、すんなり意味が通るのだから、ごく身近な言葉になっているといえるだろう。

そのカロリーは、ラテン語の「calor」からきたもので、もともとの意味は「熱」。由来のとおり、カロリーは食品の熱量（熱エネルギー）を表す単位のことだ。では、1カロリーはどれくらいの熱量を指すのだろうか？

一般に、1カロリーは「1気圧のもとで、水1グラムの温度を摂氏1度上昇させるのに必要な熱量」のこと。

ダイエットのときなど、栄養学で使われるのは「キロカロリー（kcal）」という単位で、1キロカロリーは、1カロリーの1000倍に当たる熱量である。そのほかにもカロリーの定義がいくつかあり、定義が林立している状態だ。

また、国際単位系（SI）では、熱量はカロリーでなく、「ジュール」というあまりなじみのない単位で表記しなければならない。ただし、栄養学や保健衛生の分野で、ごはん1杯分のカロリーを表すような場合には、親しみのあるキロカロリー（kcal）表示が許されている。

血圧の単位で㎜の後ろについているHgの意味は？

中高年になってくると、気になりはじめるのが、血圧の値。血圧は、心臓のポンプ作用によって、血液が全身に送りだされたり戻ったりするときに、血管に与えられる力のことで、血圧を測定すると「上が130、下が80」というように表される。その単位はmmHg（ミリメートル・エイチ・ジー、あるいは水銀柱ミリメートルと読む）だ。

なぜ水銀なのかというと、かつて圧力を測る際、もっとも正確な数値をはじき出せるのが水銀だったから。その昔、血圧といえば病院で測ってもらうものだった時代を知っている方は、手動の血圧計に水銀が使われていたことをご記憶だろう。

では、130―80といった「上」と「下」の血圧は、どのように計測されるのだろうか。今度は、電子血圧計を例に説明してみよう。

血圧計に腕をさしこむと、空気が注入されて腕が圧迫され、血流がいったんストップする。そうしておいてから、徐々に圧迫をゆるめると、血流が復活し、心臓の拍動にあわせて、動脈の血管がドクドクと脈打つ。

そのときに発する音を「コロトコフ音」と呼び、音が発生したときの血圧を上、つまり最高血圧として計測する。

一方、腕の圧迫がゆるんで、コロトコフ音が聞こえなくなったときの血圧が最低血圧である。

このコロトコフ音は、手動の血圧計では、医師が聴診器をあてて確認していたのだが、現在の電子血圧計には、腕を圧迫する帯のなかに、圧力を感知するセンサーとマイクロフォンがついていて、血管の振動もコロトコフ音も自動的に測定してくれる。

アールの100倍がどうしてヘクタールになる?

広さを表す単位ヘクタールは、アールの100倍。1アールは100平方メートル、1ヘクタールは100アールで、1万平方メートルと同じ広さになる。
ところで、「ヘクタール」は、ふだんは続けて読んでいるが、記号でhaと書くことからも、「h」と「a」、つまりヘクトとアールという2つの言葉からなり立っていることがわかる。

そのヘクトには、100倍という意味がある。1ヘクト・アールは1アールの100倍なので、「ヘクト」が頭にくっついている。ところが、日本では続けて「ヘクタール」と読んでいるので、ヘクタールとアールが別物の単位のように聞こえるというわけだ。

ヘクトのような働きをする語を「接頭語」という。単位系には、同様の働きをする単語が数多くあり、この本でもいろいろなところで出てきたが、ここでおさらいしておこう。

パソコン用語でおなじみのメガ（M）、ギガ（G）につづき、テラ（T）、ペタ（P）、エクサ（E）、ゼタ（Z）、ヨタ（Y）と大きくなる。

ミクロの世界へ目を移すと、マイクロ（μ）、ナノ（n）、ピコ（p）、さらにフェムト（f）、アト（a）、ゼプト（z）、ヨクト（y）となる。

「○万トンの船」のトンは船の重さの単位ではない!?

普通、トンといえば、重さの単位キログラムの1000倍のことだが、船に用いられる「トン（ton）」という単位は、じつは重量の単位ではないことがある。

太平洋戦争で沈没した連合艦隊の旗艦「大和」「武蔵」は、約6万5000トンだったが、この場合の「トン」は、排水量＝重量である。

一方、船舶関係のとりきめは、かつて大英帝国が七つの海を支配した時代に生まれたものが多いため、今もイギリス流の「ヤード・ポンド法」があちこちで顔を出してくる。

船のトン数も、15世紀のイギリス政府が、ワインを運んでくる船に税金をかけるため、容量252ガロン、酒を満タンにしたときの重量2240ポンドとなる酒樽が船にいくつ積めるかを基準としたことに始まったとみられている。

というわけで、船のトンは、ワイン樽がその単位になっているわけだが、トンという単位名自体も、酒を入れる樽「トン（tun）」に由来する。そして、トントンという発音は、酒の樽を検査する際などに、トントンと叩いた音から生まれたという説もある。

しかし、船の種類は荷物を運ぶ貨物船にかぎらない。そのため、船の世界では、さまざまなトン数が使われている。

まず、容積に基づく容積トン数と、重量に基づく重量トン数に分けられ、容積トン数としては「国際総トン数」「純トン数」「総トン数」が定められている。重量トン数には「載貨重量トン数」がある。このうち、客船などに使われるのは「総トン数」で、沈没したイギリスの豪華客船タイタニック号の総トン数は、4万6328総トンだった。

「ワット」「ボルト」「アンペア」の違いを簡単に言うと?──その1

今やわれわれの日常生活に欠かせないものとなっている電気には、「アンペア」

や「ボルト」「ワット」「オーム」など、さまざまな単位があり、混同しやすい。なかでも、まず知っておきたいのは、アンペアだ。「アンペア（A）」は、電流の大きさを表す単位であり、電気に関わる単位のほとんどは、アンペアを軸に組み立てられている。

アンペアで表す「電流」は、自由電子が連続的に移動する現象のことである。プラスの電荷を持つ物質とマイナスの電荷を持つ物質を導線で連結させたとき、電子はマイナスの電荷からプラスの電荷に移動する。そうして、電流が発生する。

電子の流れはマイナス極からプラス極なのだが、電流はプラス極からマイナス極へ流れると定義されている。

アンペアは流れる電気の量を表す単位で、一度に使う電気の量ともいえる。

おおむね、家庭用のコンセント1箇所に流れる電流は15アンペアであり、50ミリアンペアの電流が人に流れると、感電死するおそれが生じる。落雷は、平均的には50キロアンペア、ときには数十万アンペアにもなる。

「アンペア」という単位名は、電流間の相互作用を発見したフランスの物理学者アンドレ＝マリ・アンペールにちなんでつけられた名前だ。

「ワット」「ボルト」「アンペア」の違いを簡単に言うと?――その2

電子の流れが電流だが、その電子を動かす力となるのが電圧である。いくら電子があっても、電圧という力が働かなければ、電子は移動しない。その電圧の大きさを表す単位が「ボルト(V)」である。

電圧が生じるのは、プラスの電荷とマイナスの電荷の間に電位差があるからだ。プラスの電荷を持つ物質とマイナスの電荷を持つ物質を導線でつなぐと、そこに電位差が生じ、電子は、プラスの電荷の物質のほうへ移動し、電流が流れることになる。つまり、電子を動かしているのは電位差であり、その電位差の力が電圧となるのである。電圧の定義は以下のようになる。

「1アンペアの電流が流れる導体の2点間において、消費される電力が1ワットのとき、その2点間の直流の電圧が1ボルトとなる」。

「ボルト」という単位名は、イタリアの科学者アレッサンドロ・ヴォルタの名に由来する。ヴォルタは、銅と亜鉛によるヴォルタ電池を発明した。それが、世界初の電池であり、その彼をリスペクトして「ボルト」が電圧の単位名になったのである。

「ワット」「ボルト」「アンペア」の違いを簡単に言うと？——その3

電力は電気のする仕事率のこと。その大きさを表す単位は、電気についてのもっとも身近な単位「ワット（W）」だ。

電力の大きさは、1秒当たりの電流と電圧を掛け合わせたものになる。公式では、電力（W）＝電流（A）×電圧（V）となる。1アンペアの電流が1ボルトの電圧で流れると、1ワットの電力となる。日本の一般家庭用の電圧は100ボルトなので、60ワットの電球をつけるのに必要な電流は0・6アンペアとなる。

ただ、家庭の電力使用量を考える際には、単なるワットだけでは不十分だ。電気製品は一定の時間使うわけで、時間も加味する必要があるからだ。そこで「電力量」という単位が考え出され、電力量（wh）＝電力（W）×時間（h）となる。

また、ワットは、電力以外の仕事率を表すときにも使われる。たとえば、自動車の最高出力を表すときにも「ワット」が用いられている。

1ワットは、1秒間に1ジュールの仕事をする力でもある。「ジュール」は仕事量（エネルギー量）の単位であり、1ジュールは1ニュートンの力が物体を1メートル動かすときの力だ。ここで「ニュートン」という単位も出てきたが、1キログラムの物体に毎秒1メートルの加速度を加える力が、1ニュートンとなる。

前述のように、ワットという単位名は、蒸気機関の実用化に大きく貢献したイギリスのジェームズ・ワットの名にちなむ。

電気抵抗を表す単位がどうして「Ω」なの？

電気には、電力、電流、電圧とともに、もうひとつ重要な単位がある。電気抵抗の大きさを表す単位「オーム（Ω）」である。電気抵抗は、電流が流れにくくなる度合いのことだ。

電気を通す物質を導体というが、導体であっても、完全に100パーセントの電流を通すわけではない。導体にも電気の流れを妨げる性質があり、導体によって抵抗の大きさは異なってくる。その単位がオームであり、「1アンペアの直流電流が流れる導体の2点間の電圧が1ボルトであるとき、その2点間の電気抵抗が1オーム」と定義されている。

オームといえば、「オームの法則」が有名だ。この法則では、電流の大きさは電圧に比例し、抵抗に反比例する。そこから、電流、電圧、抵抗について、次のような関係式が成り立つ。抵抗（Ω）＝電圧（V）÷電流（A）。「電圧」を求めたいときには、電流×抵抗となる。

オームの法則は、ドイツの物理学者ゲオルク・ジーモン・オームによって発見された。抵抗を表す単位名「オーム」も、むろん彼の名にちなんだものだ。

ここで不思議に思う人もいるだろう。オームの頭文字は「O」なのに、なぜオームの単位記号が「O」ではないのかという疑問だ。

たしかに、その単位に関わった人名の頭文字が単位の記号になるケースは多い。これをそのままオームに適用すると、「O」になる。けれども、「O」は混同を招きやすい記号である。「O（オー）」と「0（ゼロ）」は見間違えやすいので、研究に差し支えが出る恐れもある。そこで、「O」の代わりに、ギリシャ語のアルファベット「Ω（オメガ）」が使われることになった。

電気の周波数「ヘルツ」ってそもそも何？

福島第一原発の事故で、首都圏が電力不足に悩まされたとき、中部電力などから電力を供給してもらう際には限界があった。日本では、交流電気の周波数が東日本は50ヘルツ、西日本は60ヘルツと異なっているので、中部電力や関西電力の電気をそのまま関東に送ることはできないのだ。

「ヘルツ（Hz）」は、周波数の大きさを示す単位だ。その周波数とは、1秒間に周期的な運動、振動が繰り返される回数をいう。1秒間に周期運動が50回あれば、周波数は50ヘルツとなる。交流の電気は、周期的な運動を繰り返しているため、その周波数が重要になってくるのだ。

周波数は、電気のみに使う単位ではなく、電波や音においても欠かせない単位である。電波や音は波の一種であり、波は一定の周期に同じ運動を繰り返す。その周波数がいくらかによって、電波や音の性質や利用法が変わってくるのだ。

たとえば、電子レンジの電磁波は2・45×10の9乗ヘルツ、X線は10の18乗～10の20乗ヘルツだ。

実際に利用する周波数には、数値の大きなものが少なくない。そこで「キロヘルツ」「メガヘルツ」「ギガヘルツ」という単位もある。1000ヘルツが1キロヘルツ、100万ヘルツが1メガヘルツ、10億ヘルツが1ギガヘルツとなる。

また、人間の聞こえる音の範囲は、ほぼ20ヘルツから2万ヘルツの間で、5万ヘルツになると、人間には聞こえない。人間が電磁波の音を聞き取れないのも、電磁波の周波数が高すぎるからだ。

若者には聞こえるが、年配の人には聞こえないといわれるモスキート音は1万7000ヘルツ前後。年齢を重ねるにつれ聴力がおとろえ、周波数の高い音が聞きとりにくくなるため聞こえなくなると考えられている。

「ヘルツ」という単位名は、ドイツの物理学者ハインリヒ・ルドルフ・ヘルツにちなむ。彼は電磁波を発生させ、その送受信に成功した人物だ。

マッハの速度が変化するのはなぜ？

最新鋭の戦闘機やロケットのスピードは、通常「時速○○キロ」では表さない。「マッハ2」とか「マッハ2・5」などと、それよりも大きな単位の「マッハ」を使って表す。「マッハ（Mach）」は速度の単位のひとつで、音の速さをひとつの基準としていて、マッハ1が音速となる。マッハ2なら、音速の2倍だ。

ただ、厄介なことに、音の速さは環境によって異なる。音の伝わり方は、温度や空気の密度によって違ってくるからだ。それに応じて、マッハ1の数値も変化する。

たとえば、マッハ1は、よく秒速約340メートル、時速にして約1225キロとされるが、これは地表近く、1気圧、気温15度の環境にあってのことだ。気温が30度になると、マッハ1は秒速およそ349メートルとなる。気温が高いと空気中の分子の動きが活発になり、音の振動の波も速く伝わるのだ。ジェット機が飛ぶ高度1万メートルは、気温マイナス50度の世界だ。その環境下でのマッハ1は、秒速301・5メートルとなる。そんなわけで、マッハは音速を基準とした相対的な速さの単位であり、ひとつの「比較値」なのである。厳密にマッハを定義するなら、「飛翔体の速さとその流体中の音速の比」ということになる。

ちなみに、今のジェット旅客機は、高空をマッハ0・8程度で飛んでいる。マッハ1を超えると、強い衝撃波が発生し、地上にも影響を与える。飛行機の強度も考えれば、旅客機にはマッハ0・8程度が穏当な速度といえるのだ。

マッハという単位名は、音速の研究で知られるオーストリアの物理学者エルンスト・マッハにちなんでいる。マッハは「Mach」のドイツ語読みであり、英語圏では「マック」、あるいは「マーク」と呼ばれている。

1ルクスってどのくらいの明るさ？

明るさを表す単位のうち、もっとも身近な単位は「ルクス（lx）」だろう。光源の光の量を表す単位が「カンデラ」であるのに対して、光の当たっている場所の明るさを表す単位が「ルクス」だ。つまり、「カンデラ」は光源の単位であり、「ルクス」は照度の単位ということになる。

1ルクスの定義は、「1平方メートルの面が、1ルーメンの光束《こうそく》で一様に照らされたときの照度」となる。「ルーメン」というのは、光線の束である光束、つまり光の量を表す単位だ。簡単にいえば、1カンデラの光源から1メートル離れた場所の照度が1ルクスとなる。

1カンデラの明るさは、ロウソク1本の明るさにほぼ等しいので、1本のロウソクから1メートル離れた場所の明るさがだいたい1ルクスになる。

また、光源の光度が同じでも、光源からの距離が遠くなればなるほど、照度は落ちていく。照度は、光源からの距離の2乗に反比例し、距離が2倍になると、照度は4分の1に落ちる。距離が2分の1になれば、照度は4倍になる。

照度は、晴れた日の地表ではおよそ10万ルクス、日陰や曇天の地表では1万ルクス程度である。満月の夜、地表の照度は0・2ルクス程度。60ワットの白熱球のおよそ1メートル下なら、照度は65ルクスだ。

人間の生活は照度と大きく関わっているが、どの程度の照度が必要かは、どのような作業をするかによって大きく変わってくる。手芸や裁縫には750〜1500ルクスが必要とされ、読書には300〜750ルクスが必要とされる。洗濯には150〜300ルクス程度で十分であり、廊下の照度は30〜75ルクスくらいでいいとされる。

また、その人に必要な照度は、年齢によっても変わってくる。60歳の人が読書するには、20歳の若者に比べて、およそ3倍の照度が必要ともいわれる。

電池の「単1」「単2」の「単」ってそもそも何？

乾電池は、メーカーが違っていても、同じ単1であれば、大きさや形の規格がすべて統一されている。電池のサイズは国際的に決められたものなので、世界中どこに行っても共通の規格が採用されている。

また、電池の側面には「単3」などという文字とは別に、「R6」のようなアルファベットと数字が書かれている場合もある。その記号が、乾電池の国際規格の表示である。

国際規格では、単1形は「R20」、単2形が「R14」、単3形が「R6」で表される。「R」は「Round（丸い）」の略で、形状の丸い電池という意味だ。

また、「LR6」のような場合、Rの前につくアルファベットは、電池の種類を表す。Lはアルカリ電池のことを示し、LR6という表示で、「アルカリ電池の丸形であり、サイズは単3」ということがわかる。

単1、単2という電池の呼び方は日本独自のものだが、単1などの「単」は、単体の電池を複数パックした組電池に対して、単体の電池であることからつけられた。「1」という数字は、電池の基本となる大きさとして、まず1という数字がふられたという。

乾電池は、最初は単1電池を中心に普及し、単2、単3と小型化してきた。単4電池、単5電池は、ポケットラジオなど、従来の電気製品の小型化にともない、使用する電池の小型化が求められたことから、後に発売された。

6章

正しいモノの数え方を知っていますか

「発」で数えるとき、「ハッ」と読んだり、「パッ」と読んだりするのは？

野球で本塁打の数を表すとき、「1発」は「イッパツ」、「2発」は「ニハツ」、「3発」は「サンパツ」という。

「発」という単位は、同じ漢字で書いても、前につく数によって読み方が「ハツ」や「パツ」に変化するのだ。

これと同様のことは、他の単位でも起きていて、たとえば、コーヒー1杯は「イッパイ」、2杯は「ニハイ」、3杯は「サンバイ」となる。

このように、「発」や「杯」の読み方が変化するのは、かつて日本語の「は行」の発音が変化してきた歴史に関係するとみられる。

「は行」は、現在は「はひふへほ」と発音しているが、古代は「PA、PI、PU、PE、PO」、中世では「FA、FI、FU、FE、FO」と発音していたのだ。

今のように「はひふへほ」と発音するようになったのは、江戸時代に入ってからのことだ。

そういう歴史的背景があるので新しい発音と古い発音が混在している。今でもときおり昔の発音が現れて、「1発」を「イッパツ」と読んだりするというわけだ。

蝶を1頭、2頭と数えるのは？

日本では、生き物の数を数えるとき、おおむねその生き物の体の大きさによって、数える単位を使い分けている。たとえば、ゾウやトラなどの大型獣は「頭《とう》」、イヌやネコなどの比較的小さな動物は「匹《ひき》」で数える。そして、昆虫も普通は「匹」で数える。

しかし、学術論文などの専門的な文章では、蝶を数えるときに、「1頭、2頭」と「頭」を使うのだ。

大型獣でもないのに「頭」を使うことには、翻訳が関係している。英語の論文では、蝶を「head」で数える。この「head」を直訳して、学術論文などでは「頭」を使うようになったのだ。

イカを1パイ、2ハイと数えるのは？

魚の数を数えるとき、よく使われるのは「匹」のほかには、「本」か「枚」あたり。マグロ1本、ヒラメ1枚といった具合だが、イカについては別の単位を使う。1パイ、2ハイ、3バイのように数えるのだ。

この「ハイ」、漢字では「杯」と書く。イカの胴体から内臓などを取り出すと、その胴に空洞部分ができて杯のようになる。

実際、昔は、イカの胴体を容器としても使うことがあったのだ。そこから、容器を1杯、2杯と数えるように、イカを1パイ、2ハイと数えるようになったとみられる。

ほかに、カニやアワビも、1パイ、2ハイと数える。これらの生き物も、身を取り除くと、その甲羅や貝殻を容器のように使うことができるところから、イカと同様、「杯」という単位で数えるようになったのだ。

握り寿司を1カン、2カンと数えるのは?

握り寿司は「1カン、2カン」と数える。この「カン」という数え方は、握り寿司独特のものといえるが、その由来はよくわかっていない。どのような漢字で書くかについても、定説がない。

一説には、巻物の単位の「巻」を握り寿司にも使うようになったという。また、別の説では、昔の金銭の単位である「貫」に由来するという。かつて、寿司1個の値段が1貫ほどで、寿司を5個食べたときは「勘定が5貫」だったというような事情に由来するという見方だ。

また、1個、2個の「個」の字を「カ」と読み、これに「ン」がついたという説もある。

人魚は、1匹、それとも1人で数える?

人魚は、半人半魚の姿をしていて、人間と魚の特徴を合わせもっている。では、その数を数えるときには、1人、2人と数えたほうがいいのか、1匹、2匹と数えたほうがいいのか。

明確なルールがあるわけではないが、人魚を主人公とするほとんどの物語では、1人、2人と表している。

人魚は、想像上の生き物ながら、人間の言葉を理解し、人間と恋に落ちるなど、魚よりははるかに人間に近い存在とされている。そのため、1匹、2匹と数えるよりも、擬人的に1人、2人と数えたほうが、物語を進めるうえでも、しっくりくるのだろう。

パンツを「枚」ではなく、「丁」で数えるのは？

「丁《ちょう》」は豆腐や銃を数えるときに使う単位だが、なぜか「パンツ一丁」という言い方もある。他の衣服は「着」や「枚」で数えるのに、なぜパンツだけは「パンツ一丁で寝る」など、「丁」という単位で数えるのだろうか。

これは、かつての男性用下着のふんどしを「丁」で数えたことの名残りとみられる。

戦後、日本の男性はパンツに履き替えたのだが、言葉にはふんどし時代の影響が残ったといえそうだ。

もともと、ふんどしを「丁」で数えたのは、薄いものを数えるときに「丁」を使うことがあるから。また、「丁」で数えると、「ラーメン1丁！」など、言葉に勢いが出てくる。それもあって、「パンツ一丁」という言い方が生き残ったといえそうだ。

ご飯の正しい数え方は？
——「食べ物」を数える①

□お米……日本の主食には、じつに多様な数え方がある。まず、稲として植えられている状態では「株《かぶ》」、刈り取れば「把《わ》」や「束《そく》」、精米して保存や輸送する場合には「俵《ひょう》」で数える。昔は米を俵《たわら》につめていたところから、1俵、2俵という数え方が今も残っている。ただ、今はビニール袋に入ってスーパーなどの棚に並んでいるので、1袋、2袋とも数えられている。

□ご飯……炊いたご飯は、1粒、2粒と数え、碗《わん》に盛った状態のご飯は、1杯、2杯と数えるほか、1膳《ぜん》、2膳と数えることもある。なお、「膳」という数え方は、ご飯を食べるときには欠かせない箸にも使われている。

□粥《かゆ》……水分を多く入れてやわらかく炊いた粥は、「杯」で数えられる。これは、水分をより多く含むとかさが増える粥を、深い器に盛るため。ほかには、1膳、2膳、1碗、2碗などと、「膳」や「碗」で数えることもある。

野菜と果物の正しい数え方は？
――「食べ物」を数える②

□西瓜《すいか》……西瓜は、「個」でも数えるが、「玉《たま》」を使ったほうがよりしっくりくる。植物の状態のときには、「本」や「株」で数える。なお、西瓜を切り分けると丸い形ではなくなるので、「個」や「玉」は使わずに1切れ、2切れと数える。

□ぶどう……植物として土に植えられている状態のものを数えるときは「株」「本」を使い、枝から切り離した状態では、1房《ふさ》、2房と数える。ぶどうの果実の部分だけを数えるときは「粒」を用いるのが一般的。

□キャベツ……キャベツが土に根付いているときには「株」。収穫したものは「個」でも数えるが、その丸い形状から「玉」を使って1玉、2玉と数える場合が多い。巻いた葉をはがしたときには「枚」を使う。

□干し柿……実をひとつずつ数えるなら「個」「玉」を使うが、いくつかをまとめて吊るした状態だと1連《れん》、2連と数える。ほかにも、首飾りのように連なったものや、編んだものを数えるときにも「連」を使う。

魚・貝・海藻の正しい数え方は？
――「食べ物」を数える③

□刺身……食べやすい大きさに切ったものは「切れ」で数えるが、刺身用の大きな塊は「さく」で数える。そのほか、皿に刺身を盛ったときは「品」「皿」、舟の形の器に盛ったときには、1舟《ふね》、2舟と数えることもある。

□目刺し……鰯《いわし》に塩をふって干した目刺しは、「連」で数える。竹や藁《わら》を鰯の眼の部分に刺し通してつなげることから、1連、2連と数えるようになった。串刺しにすることから「串《くし》」で数えることもある。

□筋子《すじこ》……サケやマスの卵を、卵巣に包まれたまま塩漬けにした筋子は、1腹《はら》、2腹と数える。魚卵を数えるときには、「腹」を使うことが多い。なお、筋子をバラバラにほぐすとイクラになり、そのひとつひとつは「粒」で数える。

□鱈子《たらこ》……魚卵なので、筋子と同じく「腹」で数える。鱈子は、スケトウダラの魚卵を卵巣ごと塩漬けにして加工したもの。イクラと違って、ひとつひとつの卵が小さいので、1粒、2粒と数えることはない。

□海鼠《なまこ》……海底で生きている状態だと「匹」、食用にされたものは「本」で数えるのが普通。なお、海鼠は調理の仕方によって呼び名が変わる。腸をのぞいてゆでて干したものは「いりこ」、腸を塩辛にしたものは「このわた」、卵巣は「このこ」と呼ぶ。

□海胆《うに》……海にすむ動物として数えるなら「匹」だが、食べる部分は1個、2個と数えるのが普通。食用にする部分が卵巣にあたるため、魚卵扱いとなり、筋子や鱈子などと同じく「腹」で数えることもある。

□帆立貝……二枚貝の一種である帆立貝は、「枚」を使って数えるのが一般的。1個、2個と数えることもあるが、その平たい形状から、1枚、2枚と数えたほうがしっくりくる。ちなみに平たい魚も「枚」で数えることがある。

□白魚《しらうお》……魚一般に使われる「匹」のほかに、1条《じょう》、2条、1筋《すじ》、2筋と数えることもある。白魚が細長い形をしていることから、細く長いものを数えるときに使う「条」「筋」が用いられるようになった。

□蒲焼《かばやき》……鰻《うなぎ》を開きにして焼いた蒲焼は、1串、2串と数える。これは鰻を串に刺して焼くため。ただし、同じく串に刺して焼いたものでも、団子は「串」で数えず、1本、2本と数えることが多い。

□若布《わかめ》……加工前の海藻として海に生息しているときは、「本」「株」で数えるのが普通。ただし、一度乾燥させて食用にした場合は、「枚」や「束《たば》」「片」を使って数えることが多い。

肉・卵・豆腐の正しい数え方は？
――「食べ物」を数える④

□肉……切り分け方によって、数え方が違ってくる。豚バラブロックのように大きなものは「本」「塊」、薄くスライスした場合は「枚」、スペアリブのように骨つきの肉は「本」、細かく切り分けたものは「個」「切れ」、ミンチにすると「グラム」で数える。

□ハム……ハムも肉と同様、形状によって数え方が違う。大きなブロック肉は「本」

「塊」で数え、薄く切ったものは「枚」「切れ」で数える。なお、小売りの単位として「袋」「箱」「パック」が使われることもある。

□豆腐……1丁、2丁と数える。「丁」は、食品では、切って食べるものを数えるときに使う単位といえる。今は「パック」でも数える。

□油揚げ……油揚げが薄く平べったいことから、1枚、2枚と数えるのが一般的。なお、豆腐を薄く切って油で揚げた食べ物なので、豆腐と同じく「丁」を使って数えることもある。

□高野豆腐……小さく切った豆腐を屋外で乾燥させた高野豆腐は、もともとが豆腐であるため1丁、2丁、もしくは1枚、2枚と数える。そのほか、縄で縛って連ねて干したことから、「連」「締め」が使われることもある。

□オムレツ……混ぜた卵を焼いて作るオムレツは、1個、2個、もしくは平たいその形から1枚、2枚と数えることが多い。料理特有の数え方を使って、1皿、2皿、1品、2品と数えるケースもある。

お菓子の正しい数え方は？
――「食べ物」を数える⑤

□ケーキ……切り分ける前の丸いケーキは、1台、2台、切り分けたケーキは、1個、2個、もしくは1人前、2人前と数える。また細長い形のパウンドケーキは、その形状から1本、2本と数えることが多い。

□羊羹《ようかん》……切る前の羊羹は「棹《さお》」で数える。「棹」は、細長いものを数えるときに使われ、切る前の羊羹は細長い形をしているところから。また、切る前は「本」で数えることもある。切ったあとは1切れ、2切れと数える。

□アイスクリーム……丸くすくった形なら、「個」「玉」で数え、アイスキャンディーのように棒状のものなら「本」で数える。また、箱詰めにされたものなら「箱」「パック」、皿に盛った状態では「皿」で数えることもある。

□鯛焼き……鯛の形はしているもののお菓子なので、1個、2個と数えるのが一般的。ただし、店によっては本物の魚に見立てて、1匹、2匹、もしくは1尾、2尾と数えることもある。

□飴……個別に包装された飴は、「個」「粒」で数える。袋詰めや箱入りとしてまとまっているものを数えるときには、「袋」「箱」を使い、缶に入れられているときには、「缶」を使って数える。

飲み物の正しい数え方は？
――「食べ物」を数える⑥

□茶……茶の木そのものを数えるときは、「本」や「株」を使うが、茶葉として数えるときは「袋」「箱」「缶」「封《ふう》」を使う。湯をそそいで茶を淹れた場合は、一服《いっぷく》、二服《にふく》と数えるのが一般的。

□日本酒……瓶入りやパックで売られている酒は、1本、2本、1パック、2パックと数える。ほかにも古来使われてきた「樽《たる》」「升《しょう》」「合《ごう》」「斗《と》」で数えることもある。なお、酒の種類は、1銘柄、2銘柄と数える。盃《さかずき》やグラスにそそいだ酒は「杯」で数えるが、神仏やお客に酒をすすめるときは「献《こん》」を使う。「一献さしあげる」など。

□カクテル……出来上がったカクテルは1杯、2杯と数えるが、カクテルを作る液量の単位にはいくつか種類がある。「ドロップ（1滴）」「ダッシュ（1ミリリットル）」「バースプーン（5ミリリットル）」「オンス（30ミリリットル）」「ジガー（45ミリリットル）」「カップ（200ミリリットル）」などである。

キッチンまわりの正しい数え方は？
――「食べ物」を数える⑦

□塩……塩は、その量によって数え方が異なってくる。料理などに少量使う場合は、1つまみ、2つまみ。あるいは、1匙《さじ》、2匙で数える。小売りの単位としては「袋」や「瓶」が使われている。

□碗……食器なので、1個、2個と数えるほか、客用に使う特別なセットなら、1客《きゃく》、2客と数える。また、碗に汁物や飯を盛った場合は、食器ではなく食べ物として1膳、1杯、1碗と数えるのが一般的。

□皿……普通の平たい皿は1枚、2枚、小皿なら1個、2個と数える。同じデザインの皿が何枚かセットになっている場合は、それらをまとめて1組、2組、一《ひと》揃《そろ》い、二揃いと数える。

□釜・鍋……現代では、1つ、2つ、1個、2個と数えるのが普通。ほかには、口が開いている器の数え方である「口」を使う場合もある。一口で「いっく」または「いっこう」と読む。また、平たい形状の鍋なら、皿と同じく「枚」を使って数える。

すまいにまつわるモノの正しい数え方は？
――「身近なもの」を数える①

□家……建物は、1軒《けん》、2軒と数えるのが普通だが、家を売買する際には、「戸《こ》」や「棟《とう》」「棟《むね》」が使われる。また広大な邸宅は、「邸《てい》」を使って数えることもある。

□襖《ふすま》……仕上がった襖は「本」を使い、1本、2本と数えることが多い。1枚、2枚と数えることもあるが、その場合は「二枚立て」「四枚立て」などと、襖のはめ込み方を説明する場合によく用いる。

□絨毯《じゅうたん》……ロール状にまるめられた状態なら「本」で数え、広げた状態なら「枚」で数える。なお、絨毯を取引するときに、専門的に使われる単位に「才《さい》」がある。才は面積を表し、1平方フィート（約930平方センチメートル）が1才になる。また、「才」は物流業界の用語で、尺貫法の体積の単位としても使われる。「1才」は縦、横、高さが1尺（約30・3センチ）の立方体を指す。

□芝生……地面に植えられている状態の芝生は、平面とみなして、1面、2面と数える。ただし、小売りにするために切られた芝生は「枚」、それらを束ねたものは「束」を使って数える。

□登記……不動産登記・船舶登記・法人登記・商業登記などの登記を数えるときには、「筆《ひつ》」という単位を使う。公的な場面で書面にサインをすることを、「一筆入れる」ということに由来する。

暮らしにまつわるモノの正しい数え方は？
――「身近なもの」を数える②

□書籍……1冊、2冊と数えることが多いが、「巻《かん》」や「部《ぶ》」を使うこともある。たとえば「全巻」「部数」といった使い方をする。なお、書籍の奥付に書かれている「刷《すり》」や「版《はん》」は、印刷や改版をした回数を表す単位。内容を変えずに印刷した場合は刷、改版して印刷した場合は版で数える。

□薬……その形状や包み方で数え方が違ってくる。錠剤は1錠、2錠、紙で包んだ粉薬は1包《ぽう》、2包《ほう》という具合。1服、2服も、どちらかといえば、粉薬を数えるときにふさわしい数詞。

□布団《ふとん》……布団だけを数えるなら、1枚、2枚と数えるが、敷き布団や掛け布団などの寝具をまとめて数えるときは、一重ね、一揃い、一組などといった呼び方で数える。ちなみに、同じ寝具でもベッドの場合は、「台」や「床《しょう》」で数えることが多い。

□箪笥《たんす》……「棹」（あるいは「竿《さお》」）で数える。その昔、箪笥を竿で担いで移動させたことに由来。現在は「台」や「点」でも数えることがある。

□鏡……手鏡は、1枚、2枚と数えるが、鏡台に取り付けられた大きな鏡は、1面《めん》、2面と数える。なお、鏡台そのものを数えるときには、1基《き》、2基、もしくは1台、2台と数える。

□扇子《せんす》……扇子は、閉じた形だと、細長いものを数えるときに使う「本」で数え、開いた状態だと平たい面になることから、1面、2面、1枚、2枚などと、「面」や「枚」を使って数える。

□針……縫い針は細長いため、1本、2本と数えるのが一般的。ただし、針は数本まとめて売られていることがほとんどなので、ひとつのパッケージを指して「包み」で数えることもある。最近では使われないが、50本の縫い針をまとめて1匹という数え方もあった。

□スーツ……1着、2着と数えるほか、上下をそろえて着ることが多いことから、一揃い、一組とも数える。「組」や「揃い」は、2つ以上のものが揃って完成するものを数えるときに使う単位。

□着物……浴衣《ゆかた》や羽織《はおり》などの着物は、1枚、2枚、もしくは1着、2着と数える。古い数え方では、襟《えり》や首を意味する「領《りょう》」で数えることもある。

□ロウソク……細長い棒状のものが多いため、通常は1本、2本と数え、まとまっているなら「束」を使って数える。「挺《ちょう》」や「丁《てい》」が使われることもある。

□祝儀袋……祝儀袋やぽち袋は、1枚、2枚と数える。ただし、それは袋に現金が入っていない場合で、中身を入れた際には1封、2封、もしくは1包み、2包みなどと数える。

□ピアス……耳元を装飾するイヤリングやピアスは、左右で同じデザインであることがほとんどなので、1組、2組、1対《つい》、2対と数える。ただし、片方ずつ数える場合は、1個、2個と数える。

乗り物・道路の正しい数え方は？
――「身近なもの」を数える③

□電車……電車全体を数えるときは、1本、2本と数え、電車の車両を数えるときは、1両、2両と数える。ただし、電車が基地にいるときには、1編成、2編成などと数える。

□船……大きさによって数え方が違い、タンカーや軍艦、客船などの大型船は「隻《せき》」

で数える。小型漁船などの小型船は「艘《そう》」、小型ヨットやボートは「艇《てい》」で数える。

□飛行機……飛行機、ヘリコプター、セスナ、戦闘機など、空を飛ぶものは、1機、2機と「機」で数える。ただし、同じ空を飛ぶものでも、飛行船は船を数えるときに使う「隻」で数える。飛行船という呼び名に「船」がついていることから。

□道路……「本」を使って数えるのが一般的。古くは「筋」や「条」を使った。筋とは、道路や川にそった道のことで、「一筋の小道」などと使われることが多い。

□観覧車……観覧車は地上に据え付けられた乗り物なので、1基、2基と数える。「基」は機械、灯籠《とうろう》、墓石のように、立てて据えておくものを数えるときに使う。ただし、人が乗るゴンドラは動くので、「台」を使って数える。

楽器の正しい数え方は？
——「いろいろなもの」を数える①

□琴……弦を「張った」楽器であることから、「張」を使って、1張り、2張りか、1張《ちょう》、2張と数える。今は、「面」を使うこともある。

□三味線……三味線の柄の部分を「棹」と呼ぶところから1棹、2棹と数える。あるいは、三味線の棹が細長いところから、細長いものを数える「挺」で1挺、2挺と数えることもある。

□オルゴール……オルゴールの数え方は、手のひらに乗るような小さなオルゴールなら1個、2個、大きなオルゴールなら1台、2台と数えるのが一般的。

□ギター……ギターは弦楽器のひとつなので、1本、もしくは1丁、1挺などと数える。なお、スピーカーから音を出すエレキギターは、ひとつの機械とみなして、1台、2台と数える場合もある。

□尺八……尺八は、竹の管でできている楽器なので「管《かん》」で数える。ただ現在では、西洋の管楽器と同じく、1本、2本と数えることも多い。なお、尺八よりも細い篠竹で作られている篠笛《しのぶえ》や、雅楽で使われる笙《しょう》も「管」で数える。

□バイオリン……バイオリンは弓で弾く楽器なので、1挺、2挺などと、「挺（丁）」を使って数えることが多い。ただし、オーケストラの中でバイオリンを弾いている人を数えるときには、「本」が使われる。

衣服・生地の正しい数え方は？
――「いろいろなもの」を数える②

□帯……帯については、一般的に1本、2本、1枚、2枚という数え方が知られているが、細長いものを数えるときに使う「筋」や「条」を使う数え方もある。また、帯を商品として数えるときは、1点、2点と「点」を使って数えることが多い。

□袴……現代では、1枚、2枚と数えられるのが一般的だが、古くは1腰《こし》、2腰と数えられた。袴をはいたあと、腰で紐をかたく締めることから。ほかには衣服を一式揃えるという意味の「具」を使い、一具と数える場合もある。読みは「いちぐ」もしくは「ひとよろい」。

□絹……絹糸の状態では、細長いものを数えるときの「本」を使い、布に織られた状態では「枚」を使う。また、着物を作るために織られたものには「反《たん》」を使い、商売で数えるときには2反で「1疋《ひき》」と数える。

□綿……植物として数えるときは、1本、2本、もしくは1株、2株と数えるが、製品となった綿は1枚、2枚と数えるのが一般的。また、商売で綿を取引するときには、「包み」や「梱《こり》」を使う。

□布……小さく切られたはぎれの状態だと「片」、大きなロール状で売られているものは「本」もしくは「巻き」で数える。ほかにも、「反」「疋」「締め」という単位で数えることがある。

□毛糸……編み物をする前の糸の状態だと「本」で数えるが、毛糸玉として丸めたものなら「玉」を使って数える。ほかにも、毛糸を束にしたものを「把」もしくは「綛《かせ》」で数える方法がある。

それってどう数えるの？
――「いろいろなもの」を数える③

□材木……丸太のように棒状のものなら「本」、板状のものは「枚」で数える。なお、材木の体積を量るときは、材木の形にかかわらず「石《こく》」を使うほか、高級品の桐材は特別に「玉」という単位を使うこともある。

□メール……電子メールも手紙のひとつなので、1通、2通と数える場合が多い。ただし最近では、内容を読まずに迷惑メールを処理するケースもあるため、相手からの一方的な働きかけという意味合いを込めて「件」を用いて数えることもある。

□カビ……小さなものではあるが、1株、2株、1塊、2塊などと数える。カビが菌糸の先から水分や栄養を吸収することから、根のある植物を数えるときに使う「株」で数えるようになった。

□踊り……曲にあわせて踊るダンスや舞踏を数えるなら、「曲」や「番」を使うのが普通。また、日本舞踊の舞を数えるなら、「一差し舞う」などと「差し」を使うとスマートに聞こえる。

□網《あみ》……袋状になった網を海底でひきまわして魚を捕る「底引き網漁業」では「帖《じょう》」、海中に張った網に魚をからませて捕る「刺網《さしあみ》漁業」では「反」、移動する魚の通路に網を仕掛ける「定置網漁業」では「統《とう》」を使って数える。

□劇団……1つ、2つという普通の数え方のほかに、劇を上演するために集まった人々を「一座」ということから、「座」を使って数える方法もある。劇団名によく座がつくのはこのため。

□景色……景色を数えることはあまりない。あえていうなら、「景」を使って一景と数えたり、風光明媚な場所をいくつかまとめて「近江八景」「金沢八景」「富嶽百景」などということはある。

□ウサギ……「1羽《わ》、2羽」と数える。肉食が忌まれた時代も、鳥類を食べることは許容されていたところから、ウサギを鳥のように数えるようになったという。あるいは、ウサギの肉が鳥肉に近い味がするところから、「羽」で数えるようになったという説もある。

□鯨《くじら》……鯨は大きな生物なので、大型動物を数えるときに使う「頭」で数えるのが一般的。ただし、比較的小型の鯨であれば、動物一般と同じように、1匹、2匹と数えることもある。

□恐竜……大きな生物なので、1頭、2頭と数える場合もあるが、現存するのは骨のみなので、1体分、2体分と数えることのほうが多い。もしくは「頭の骨が1点出土した」などと、「点」を使って数えることもある。

□ミサイル……ミサイルは発射するものなので、1発、2発などと「発」で数えるのが一般的。ただし、巡航ミサイルのように翼とエンジンを持ち、障害物を避けて飛行するような高度なミサイルは、飛行機と同じく「機」で数える場合もある。

□大砲……大砲、バズーカ砲、高射砲といった、弾丸を発射する火器を数えるときは、1門、2門などと「門」を使う。ここで使う「門」とは、物が出入りする狭い口のことを指す。

□ロボット……ロボットは機械なので、1台、2台と数えるのが基本。鉄腕アトムもドラえもんも、本当は1台である。ただ、人間の形に近いタイプは1体、2体と数えるようになっている。

和風なモノの正しい数え方は？
――「いろいろなもの」を数える④

□提灯……紙を張った照明具であるところから、「張り」あるいは「張《ちょう》」で数える。また、「挺」で数えることもある。

□雛人形……内裏《だいり》雛や三人官女などの複数の人形をまとめて「一揃い」「一具」「一飾り」などと数える。ただし、男雛、女雛だけを数える場合は、「一組」「一対」と数え、個々の人形は「一体」と数える。

□門松……新年に家の門の前に立てる門松は、「一門《ひとかど》」「一対」「一揃い」などと、単体ではなく、まとめて数えるのが一般的。松飾りは一本だけで飾ることはなく、必ず左右ペアで立てることから。

□鏡餅……餅は通常、「枚」や「個」で数えるが、鏡餅は「重ね」か「据《す》わり」で数える。重ねられているところから、一重ね、二重ね、または据えられているところから一据わり、二据わりと数えるようになった。

□算盤……一台、二台、あるいは一面、二面と数える。細長い道具であることから、「挺」で数えることもある。なお、算盤の珠それぞれは一玉《たま》、二玉や、一個、二個と数える。

□生け花……生け花をひとつの作品として見た場合は、1点、2点と「点」を使って数えるが、「一鉢」「一瓶《いっぺい》」「一杯」などと、花器の名称を使って数える方法もある。ちなみに、「瓶」は口が小さく細長い首をもつ器を指し、「杯」は膨らみをもった器のことを指す。

□筆……細長いものを数えるときに使う「本」で数えるのが一般的だが、「穂《すい》」を使って数えることもある。専門的には、筆の軸の部分を指す言葉である「管」や「茎《けい》」を使う。

□硯《すずり》……「面」や「枚」で数えることが多い。墨をすりおろす平たい道具であることから。硯の多くが石でできているので、一石《せき》、二石のように「石」を使って数えるケースもある。

□羽子板《はごいた》……羽根つきに使う羽子板は、一枚、二枚とごく普通に数える。遊戯用だけでなく、豪華に押し絵をつけた装飾用の場合でも数え方は同じ。どちらも板であることに変わりはないため、「枚」を用いる。

□屏風《びょうぶ》……「双《そう》」「隻」を使って数える。左右でペアになった屏風を一双、右のみ左のみのものを一隻と数える。この場合の「隻」は本来二つでひとつのもののうちひとつを指す言葉となる。またそれぞれの屏風の面は、一扇《せん》、二扇と数え、何枚で構成されているかは「曲」で数える。二つ折りなら「二曲」、六つ折りなら「六曲」になる。掛け軸は「幅《ふく》」で数える。

□鯉のぼり……一本、二本と、大型の魚を数えるときに使う「本」で数える。本物の鯉が滝登りをするほどの強い力を秘めていることから、マグロやカツオを数えるときの単位を使う。旗を数えるときに用いる「旒《りゅう》」を使うこともある。

□和歌・俳句……和歌は一首《しゅ》、二首と「首」で数える。「首」は漢詩の数え方に由来し、漢詩では初めの句を頭部ととらえ、そこから「首」で数えるようになった。

一方、俳句は一句、二句と「句」で数える。

□鬼……人間ではなく、動物的な性質をもつことから、一匹、二匹と数えることが多い。ただし、物語に登場する鬼が心を入れ替えるなどして、人間に友好的な生き物となった場合は、人とみなして一人、二人と数える。

□寺……寺院を数えるときには、「寺」や「軒」を使うが、寺にある建物を数えるときには「一宇《う》の堂塔」などと「宇」を使う。また「鎌倉五山」のように「山」を使って数えることもある。

□仏像……仏像を数えるときは、一体、二体と数えるのが一般的。人の形を模した彫刻を数えるときに、よく「体」を使うことから。仏像が座っている場合は、「坐」で数えることもある。古くは「尊《そん》」「基」「頭《かしら》」「躯《く》」を用いたことも。

□刀……細長いものを数えるときの「本」を使うのが一般的だが、腰にさして使うため「腰」でも数える。もしくは、振り下ろして使うことから一振り、二振りと数えるほか、刀で切り口をつけるため「口」という漢字をあてることもある。読みは一口《ひとくち》または一口《ひとふり》、一口《いっこう》である。

□鎧《よろい》……身につけるものなので、着物と同じように一着、二着と数える。ほかには、一領、二領と数える方法もある。「領」は、襟や首を意味する言葉で、羽織《はおり》や裃《かみしも》、袈裟《けさ》など襟のある装束を数えるときにも使う。

□印籠……一具《ひとそなえ》などと、「具」を使って数える。もともと印籠は、印鑑と印肉を入れて持ち歩く道具だったため、必要なものが揃うという意味から「具」が使われた。ただし、蓋付きの入れ物という意味で「合《ごう》」で数えることもある。

□十二単《じゅうにひとえ》……前述の鎧と同じように、「領」で数える。十二単は、単のうえに数多くの袿《うちき》を重ねて着る装束だが、一枚一枚を数えることはせず、まとめて一領、二領と数えるのが一般的。

◆参考文献

「単位」伊藤英一郎監修（PHP）／「単位の歴史」イアン・ホワイトロー著富永星訳（大月書店）／「知っておきたい単位の知識200」伊藤幸夫、寒川陽美（フレックスコミックス）／「身近な単位がわかる絵事典」村越正則（PHP）／「こんなにおもしろい単位」白鳥敬（誠文堂新光社）／「単位の成り立ち」西条敏美（恒星社厚生閣）／「単位の世界をさぐる」矢野宏（講談社ブルーバックス）／「単位のいま・昔」小泉袈裟勝（日本規格協会）／「単位がわかる」高田誠二（丸善出版）／「数え方と単位の本（1）」飯田朝子（学研マーケティング）／「単位の小事典」高木仁三郎（岩波書店）／「単位と記号雑学事典」白鳥敬（日本実業出版社）／「単位・定数小事典」海老原寛（講談社サイエンティフィク）／「トコトンやさしい単位の本」山川正光（日刊工業新聞社）／「図解雑学単位のしくみ」高田誠二／「図解雑学単位と定数のはなし」小谷太郎（以上、ナツメ社）／ほか

※本書は、2011年刊行の『モノの「単位」で知る世の中のカラクリ』（青春出版社）に新たな情報を加え、再編集したものです。

青春文庫

9割《わり》が答《こた》えられない
「モノの単位《たんい》」がわかる本《ほん》

2024年7月20日　第1刷

編　者　話題《わだい》の達人《たつじん》倶《く》楽《ら》部《ぶ》

発行者　小澤源太郎

責任編集　株式会社プライム涌光

発行所　株式会社青春出版社

〒162-0056　東京都新宿区若松町12-1
電話 03-3203-2850（編集部）
03-3207-1916（営業部）
振替番号　00190-7-98602

印刷／中央精版印刷
製本／フォーネット社
ISBN 978-4-413-29855-1

©Wadai no tatsujin club 2024 Printed in Japan
万一、落丁、乱丁がありました節は、お取りかえします。

本書の内容の一部あるいは全部を無断で複写（コピー）することは著作権法上認められている場合を除き、禁じられています。

ほんとうのあなたに出逢う ◆ 青春文庫

小学生なら解けるのに！
大人は手こずるゆるクイズ

あなたの脳は何歳まで若返る？
〝やわらか頭〟に大変身の100問

知的生活追跡班［編］

（SE-851）

日本の2000年史 その時、中国はどう動いた？

〝意外な関係〟を歴史でひもとく——
豊臣秀吉の「明征服計画」ってどこまで本当？　ほかエピソードで読む日中関係史

歴史の謎研究会［編］

（SE-852）

お金に強い人の「値段」の見方
その数字には、理由がある

モノの原価から、あの人の〝ふところ事情〟、経済の基礎知識まで、ウラもオモテもわかる本

ライフ・リサーチ・プロジェクト［編］

（SE-853）

世の中は、「暗黙のルール」に満ちている

〝見えない壁〟の内側で、そんなことが起きていたのか。「あの業界」の不思議なタブーの数々に、とことん迫る。

㊙情報取材班［編］

（SE-854）